大分断

教育がもたらす新たな階級化社会

エマニュエル・トッド 著
Emmanuel Todd
大野 舞 訳
Ohno Mai

PHP新書

本書は、日本の読者に向けて独占インタビューを行ない、その内容を中心に刊行するものである。インタビューはパリのエマニュエル・トッド氏の自宅で行なわれた。

はじめに

階級化した世界

今、我々は「思想の大いなる嘘の時代」に直面しています。先進諸国では、識字率が上がり、多くの人が民主主義について語れるようになり、あらゆる民主的な制度が存在し、投票制度も、政党も、報道の自由もあります。しかし、実際には社会はいくつものブロックに分断されてしまい、人々が「自分たちは不平等を生きている」ことを知っている状態にいます。構造としては、上層部に「集団エリート」の層があり、その下に完全に疎外《そがい》された人々、例えばフランスでは国民連合（旧・国民戦線。反移民などを掲げる極右政党）に票を入れるような層があります。そしてその間には、何層にもなった中間層が存在しています。

このような構造の中で、民主主義のシステムは機能不全に陥《おちい》ってしまったのです。民主主義に基づいて築かれた制度は問題なく機能し、国としては全ての自由を手にしている。にもかかわらず選挙そのものは狂っているとしか思えないものになっている。

民主主義というのは本来、マジョリティである下層部の人々が力を合わせて上層部の特権階級から社会の改善を手にしようというものです。ですから、民主主義は今、機能不全に陥っている。私はそう考えるわけです。そしてこの機能不全のレベルは教育格差によって決まるのです。

経済構造と教育の歪んだ関係

私は学ぶという行為自体が目的になるべきだと信じています。学ぶことでより良い人間になれます。そして、知るということ、それ自体が良いことだと思うのです。

ところが、次第に社会が複雑化し、ますますその深刻さが増している現代社会では、教育は経済的、社会的な成功を収めるためのツールとなってしまいました。人々は社会の中で、経済的に生き延びるために教育を受けるようになったのです。どの国でも親たちは自分の子供の学校での成績に一喜一憂します。それは子供に幸せでより良い人間、より完全な人間になって欲しいというよりも、むしろ良い仕事に就《つ》いて欲しいという願望の表れです。こういう意味で、中等・高等教育は歪んだ結果を生み出すと思うのです。

　高等教育を受けるためには最低限の能力がなければいけないのは忘れてはいけません。しかしアメリカの経済学者ブライアン・カプランは、その著作において「教育は、雇用主にとって都合よく仕事に励む、順応主義的な社員を雇うことを可能とした」と述べています（『大学なんか行っても意味はない？——教育反対の経済学』〈みすず書房〉）。この経済構造と教育との歪んだ相互関係は、こうした点で表出してくるのかもしれません。とても優秀と言われる学歴を持つ人間であれば、必ずその人はある程度の能力があり、かつ順応主義者でしょう。だから雇用主は安心して雇うことができるのです。

　しかしここで忘れてはならないのは、社会全体がそうなってしまったら、その社会の進歩は止まってしまうということです。

高等教育が無能なエリートたちを生み出した

グローバル化が進み、国際競争がますます激しくなっていく世界で経済的に生き延びるために高等教育が存在し、それが社会的な区分のためのツールとなってしまった今、認知レベルにおいての欠陥が世界のあちこちで危機的な状態を生み出していると思います。

これは社会によって異なる分野で表出します。例えばフランスの場合は統一通貨ユーロに関して起きています。では日本ではどうでしょうか。日本は、貿易面や通貨政策の面では、この困難な時代の中、割とうまくすり抜けてきたと思います。しかし、人口管理の分野においては危機的状況にあります。出生率が非常に低い状態が長期間続いている中で、大国として経済的なバランスを保ったまま、移民についても触れることなくそのまま生き延びられると考えてしまうのは、エリート層・指導者層の人々の認知的な側面での欠陥とも言えるのではないでしょうか。

非常に優秀と言われる高等教育を受けたエリートたちに指導されているはずの国々で、このような状況が見受けられるのが現状です。高等教育の発展が、実は知性にとっては非生産的な結果をもたらしたと言えるかもしれません。

今の若者たちは現状のシステムに疲れています。もし希望があるならば、この世界、あるいはシステムから出たい、と思う人々がいるのです。イギリスのブレグジット（ＥＵ離脱）や、フランスで起きた黄色いベスト運動などは、その好例です。

今のシステムの基盤は、野望、順応主義、そしてお金でしょう。ではこのシステムの中で生き延びることに注力するのか、あるいはそんなところから抜け出そうとするのか。

もちろん一人だけでシステムから抜け出すのは困難極まることですが、もしそれを多くの人々と共有できたならば、意外と簡単だったりするのです。

そしてある瞬間、社会の転換が起きるのです。それが新たな分断なのか、あるいは革命なのか、それはまだわかりません。

分断された世界はパンデミック以後にどう変わるか

二〇二〇年、新型コロナウイルスの世界的大流行（パンデミック）が猛威を振るいました。多くの国はロックダウン（都市封鎖）を行ない、経済活動や人の行き来を停止しました。コロナ以後（ポスト・コロナ）について、私は「何も変わらないが、物事は加速し、悪化する」という考えです。

コロナ危機が収束の兆《きざ》しを見せ始めた頃、アメリカでは、白人警官による黒人市民の殺害が社会的波紋を引き起こし、全米で黒人差別に反対する大規模なデモが起きました。このデモには、黒人のみならず、高等教育を受けた若い白人たち――主にバーニー・サンダースの支持層――が多数参加しました。

コロナ危機後の最初の出来事がこのアメリカで起きたデモだとすると、実はコロナ以前のアメリカにすでに存在していた傾向と、今起きていることの本質は全く変わっていない、ということがわかるでしょう。というのも、コロナ以前から白人の若者も、高等教育を受けた若者も、非・特権階級化しているという傾向はすでに見られていたからです。これは本書で詳しく述べますが、まず、高等教育を受けた一部の特権階級が、自由貿易を社会に押しつけました。そこから徐々に教育の階層化という現象が起き、高等教育を受けた若者も自由貿易によって苦しむようになったのです。教育の階層化が国家を解体し、自由貿易へと社会を推し進めていったのです。

コロナ危機はこの傾向をより悪化させたというわけです。また、そういう意味ではフランスのような国では、社会の貧困化がさらに進むでしょう。ヨーロッパという括《くく》りでは、北と南の対立が悪化することでしょう。

本書では、高等教育が引き起こした社会の分断と格差について主に論じています。さらに、それに関連してグローバル化疲れ（グローバリゼーション・ファティーグ）についても分析しました。私は、これまでの研究者人生の中で、ソ連の崩壊やアラブの春、トランプ大統領の誕生などについて予測し、それらは今日《こんにち》まで割と適切な予測であったと思います。ただ、私はアナール学派（フランス現代歴史学の学派の一つ）から教えてもらった変数を使い続け、それらを現代社会や社会の未来に当てはめて研究を進めただけなのです。アナール学派はそもそも社会のダイナミズムの本質を見抜いた人々だったため、それに続く私の分析も高性能なものとなりえた、ということを付け加えておきましょう。

最後に、本書は私の友人である翻訳者の大野舞氏と、編集者の大岩央氏の勧めによって形になりました。本書が読者の皆さんにとってこれからの世界を考える一助になれば、嬉しく思います。

エマニュエル・トッド

大分断

教育がもたらす新たな階級化社会

目次

はじめに

第1章　教育が格差をもたらした

第2章 「能力主義」という矛盾

第3章　教育の階層化と民主主義の崩壊

第4章　日本の課題と教育格差

第5章　グローバリゼーションの未来

第6章　ポスト民主主義に突入したヨーロッパ

第7章　アメリカ社会の変質と冷戦後の世界

訳者あとがき・解説

第1章　教育が格差をもたらした

教育が社会を階級化し、分断を進めている

私は教育から起きる社会の分断について、早い時期から指摘してきました。一九九八年に出版された自著『経済幻想』（邦訳は一九九九年、藤原書店）の中で、教育による階層化について書きました。結果的にこの見解が社会に通用するまでに二〇年ほどかかってしまったわけですが。

そして二〇二〇年一月に出版した自書『Les Luttes de classes en France au XXIe siècle』（二十一世紀フランスの階級闘争：未邦訳）で検討しているのが、高等教育の発展が社会の文化的な側面に格差をもたらした、という点なのです。これはアメリカでは、ベトナム戦争の際にすでに明確化していた事象です。ベトナム戦争に反対する学生たちと戦争に送られる労働者たちという構図がまさしくそれでした。またフランスでは一九九二年、マーストリヒト条約（欧州連合条約。欧州共同体［EC］を解体し、より統合を強めた欧州連合［EU］に発展させる条約）の際にこの構図が政治的な形で表出しました。

特に現代社会では学業は就業の準備段階に位置するため、教育の評価基準と経済の基準のそれぞれを本質化しないことは重要です。つまり、避けなければいけないのは、一方で教育的な評価基準があり、もう一方では経済的な基準があり、この二つによる社会の分断は根本的に異なるという考え方です。

ただ、イギリスの社会学者マイケル・ヤングも予想していたように、教育の評価基準の特殊な点は、上層の人々の権力を驚くほど正当化してしまう点です。またそれは同時に、高等教育を受けなかった人々の自信を破壊してしまうものでもあります。そこでは頭の良さ、IQの差などで上層と下層に分断がなされます。

そして最終的には生産過程のどこに位置付けられるのかという点で定義される、まさしくマルクス主義的な意味での社会階級にたどり着くのです。

もちろん、教育レベルが低かった戦後すぐの社会から考えると、教育の発展は文化、社会、経済の側面で非常に重要なダイナミズムを生み出しました。

今、それが別の段階へ移行していると見ることができるのです。アメリカやフランスなどの国々では、全人口のおよそ三分の一が高等教育を受けるという比率に到達し（図1-1）、

図1-1　高等教育を受けた人の割合【アメリカ】

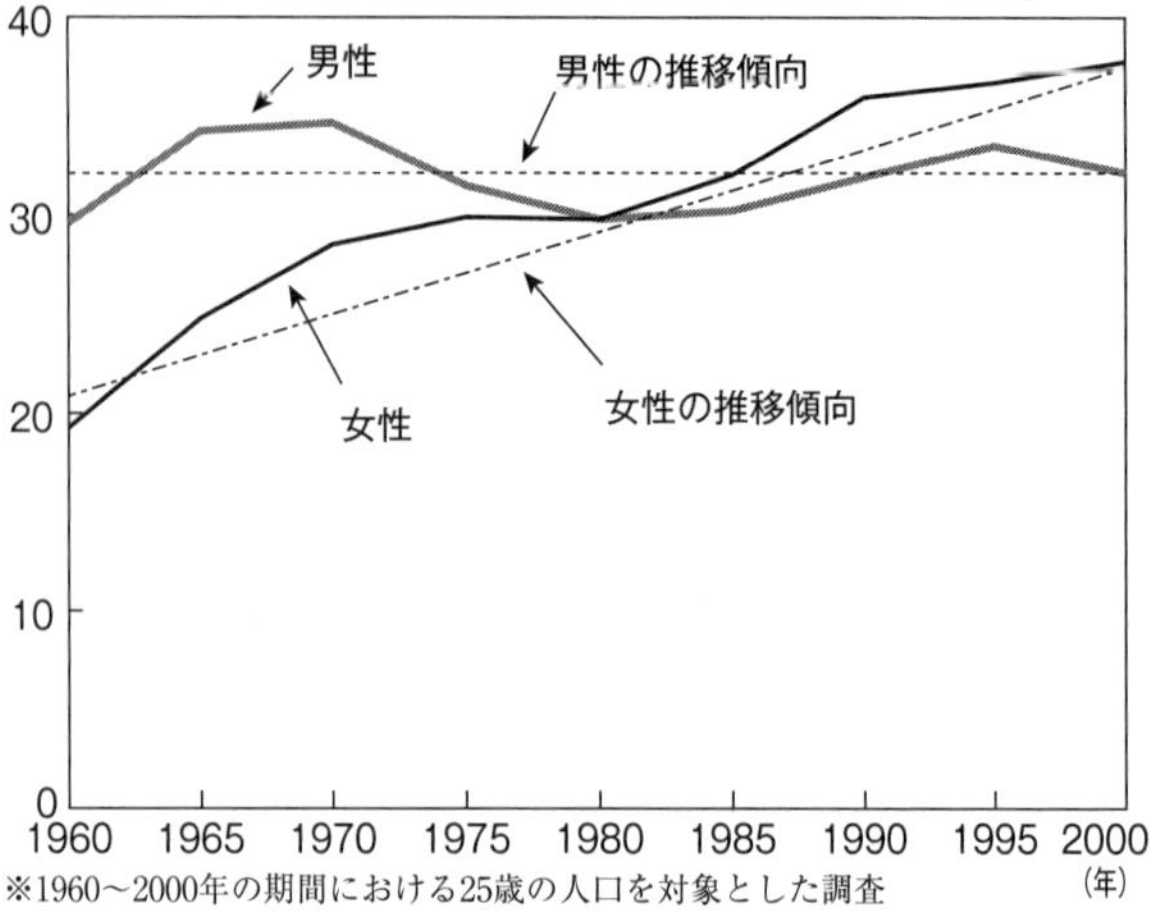

※1960〜2000年の期間における25歳の人口を対象とした調査
出典：Barro & Lee（『Où en sommes-nous ?』より引用）

それ以降の伸び率は停滞し、教育の発展は壁にぶち当たっています。もちろん、大学進学率でいえば日本ではおよそ五〇％、韓国では七〇％という数字がありますが、日本でも東京大学や慶應・早稲田大学を卒業するのと、地方大学を卒業するのとでは意味が異なると思います。つまりそこで注視しなければならないのは、大学の中でもトップレベルとそれ以外という区分がある点です。女性の進学率も高いですが、彼女たちが行く大学がどのようなレベルなのかを見るべきです。フランスでも状況は同じです。グランゼコール、ＥＮＡ（フランス国立行政学院）や高等師範学校などのエリート校と、その他の大学の間には明確な階級化が見られます[注1]。

教育は支配階級を再生産するためのものになった

戦後の教育の発展は、社会全体が楽天的な雰囲気の中で進み、喜ばしいこととされていました。特に左派の思想がその動きを後押しし、最終的に能力主義の理想形として浸透していきました。それは民主主義の大きな前進の一つと捉えられ、上層階級の門戸《もんこ》が下層階級に対して開かれたという見方と共に広がっていきました。

しかし今日《こんにち》、前述したように教育の発展は止まってしまい、さらに高等教育を受けているのは社会の一部でしかない、という事実も明確になりました。高等教育は特権的な職業に就くための一種の資格のようになり、本当の意味での資格の意義は失われました。さらにそれがもはや貴族階級の称号であるかのようになった今、我々は全く別のフェーズに移行しようとしていると言えるのです。そこでは高等教育の目的は精神的な解放ではなく、もはや知的レベルの問題でもなくなります。もちろん、エンジニア養成校や、ある職業に特化した学校など、経済の発展に直結することが学べる学校もたくさんあります。しかし私が言いたいのは、この高等教育の機能の一つが、社会を階級化し、選別するものになってしまっているということです。

マルクスの階級社会の再来か

今や高等教育は学ぶ場というよりも、支配階級が自らの再生産を守るためのものになり、被支配階級の子供たちよりもどれだけ上の教育を受けられるか、ということが重要になっているのです。お金がある家庭は、子供たちがある分野で成功するための保証として家庭教師を雇います。こうした社会は、マルクスの言う階級社会の現代版と言えるでしょう。マルクス主義的な階級社会とは、もともとは資本の所有に基づくものでしたが、今日ではこの階級に「教育」という新たなツールが加わり、思想的、そして社会的な階級の存在を正当化しているのです。[注2] 今や多くの人々が徐々にこの教育による分断に気づき始めています。これは非常に重要なことです。

階級闘争が高等教育の分野に入り込んだと言ってもいいかもしれません。自分たちの子供たちが高等教育で勝ち抜くために、階級同士で必死になる中、高等教育を「買う」ということすら可能になっています。

例えばアメリカではそれが顕著で、大金を払ってハーバード大学に入学することも可能な時代なのです。もちろん優秀な学生もとるわけですが、高額の寄付金を支払って入学することも可能なシステムです。フランスには非常に高額なビジネススクールがたくさんありますが、それもこの一種です。富裕層の子供たちと教師の子供たちの間で、高等教育に関わる闘争が繰り広げられていると思います。教師の子供たちは教育システムを知り尽くしているという意味で有利ですが、裕福な子供たちは金銭的に有利なのです。例えば、ある学校へ入るための入学金が上がれば、富裕層が教師の層に勝つことになるでしょう。

このように、いわゆる高等教育を受けたエリートたちは、決して能力主義のおかげでそこにいるわけではなく、あくまで階級によってそこにいるのです。このような状況が、マルクスの階級社会を彷彿《ほうふつ》とさせます。彼らは国を指導する立場にあり、権力、特権、そしてお金も持っています（もちろん銀行を司《つかさど》っている人々も愚か者が多いので、最終的にはこの資本主義も危機に陥るだろうと思うのですが）。とにかく、この教育の階層化と経済的な階層化の相違は、永遠に止まらない動的なプロセスとして見ることができるのです。

分断を招くという文脈においての教育とは、もはや高尚な意味での教育ではなく、ただ単純に取得できる「資格」を指します。今考えなければいけないのは、この教育と知性の関係性でしょう。能力主義という理想が高まった時代には、学校教育で成功するためにはある程度の知性がなければいけませんでした。しかしながら、今やその点においては、我々は学業と知性の分断が起きている時代を生きていると言えるかもしれません。

考える時間が与えられない高等教育

教育が社会的な区別をするための基準となった今日、何が高等教育における成功であるかという点も変化してきています。私の学生時代、高校ではバカロレア（高校卒業試験）を受けるまでの期間、大いにふざける時間もあり、プレッシャーも今ほどではありませんでした。また、あの頃は学生の逸脱した行動に対しても寛容でした。

例えばその頃、共産党員だった私は高校の哲学の授業ではソビエト連邦の旗を机にさしていましたが、バカロレアを受けることに支障はありませんでした。もちろんその後、反共産主義でキャリアを積んだわけですが。ともかくあの時代、歴史の教師たちには共産党員もたくさんいましたし、とにかくユーモアがあったと思います。また、エリート校たるグランゼコールに入るための準備クラス（classes préparatoires）でも、学生たちには考えるための自由な時間があり、ふざける時間もありました。

一九五〇年代から七〇年代頃まで、理系で有名なポリテクニック校の学生は、もちろん数学に秀でていなければなりませんでしたが、それと同時に学校はカルチェ・ラタン、パリの中心部にあったので、夜は外でのびのびと遊ぶこともできたのです。しかし今やその学校も郊外に引っ越してしまいました。今はとにかく、学生たちも「完璧」であることを求められるようになってしまったのです。そして自らを成熟させるために学ぶのではなく、自分以外の人を押しつぶすために学んでいるかのようになっています。

いかに自分が従順であり、忍耐強く、そして順応主義者であるかを見せつけるために高等教育を受けるのです。しかし、そうすることで生まれるのは愚か者たちでしかないと言わざるをえません。今、結果的に巧妙な〝反能力主義的システム〟が表出してきていると言えるでしょう。フランスの支配階級の人々が統一通貨ユーロ導入の少し前から、いかに無能なのかということも、こうしたことから説明がつくのです。長期化する高等教育の中で、若者たちは若者であることを諦めざるを得なくなり、考える時間が与えられず、ひたすら授業の内容を完璧に繰り返すことができる人々を生み出しているのです。だから例えば統一通貨ユーロを疑問視するような人は、エリート校であるＥＮＡに入ることすらできないでしょう。構造的に、愚か者ばかりで構成される指導者層が世に輩出されるようになってしまったのです。もはやソ連の終わり頃にブレジネフ政権下で起きたことと似ているとも言えます。

エリート対大衆の闘争が始まる？

マルクスは『フランスにおける階級闘争』をまさしくフランスで書いたわけですが、そのフランスで二〇一八年から起きていたのは、仏大統領マクロン派の権力側と「黄色いベスト」たちの対立です（「黄色いベスト運動」。燃料税の引き上げ反対から始まったフランスの国民的デモ運動を指す）。これは高等教育を受け、非常に頭が良いとされながら実際には何も理解していない人々と、下層に属する、多くは三〇代から四〇代の低収入の人々、高等教育を受けていないながらも知性のある人々の衝突でした。つまり、フランスのような国では学業と知性の分離というのはすでに始まっていることなのです。

今、再考されなければならないのは、生活水準や生産手段の中での位置付けなどです。教育レベルは明らかに低収入の人々を過小評価するための論拠となっていると私は見ています。私は日常生活を送る中でいろいろな人々と話をしますが、庶民階級で非常に知性溢れる人々がたくさんいる一方、上流階級には信じられないほど愚かな人々がたくさんいるのも事実です。これが今の階級構造だと思います。

しかしこれは同時に良いことでもあります。なぜならば、これまで支配されてきた層の人々が道徳面でも知性の面でも徐々に力をつけてきていると言えるからです。そして黄色いベスト運動でもそうでしたが、彼らは彼らの中で自分たちのエリートを見つけています。これはまだ、新しい歴史のほんの冒頭部分にすぎません。今日、エリート校の出身ではない学生も増えています。これまでのように高等教育が貧困に対する盾《たて》になるという保証も消え去りました。だから、これから何かが起きることは明らかでしょう。まさしく階級闘争の再到来です。

日本の分断が大きくならない理由

一方で、私は日本でも同じような結果がもたらされるとは全くもって考えていません。

ある日、私は祖父ポール・ニザンが書いた政治記事の束を見つけたのです。ポール・ニザンは日本では左派の作家としてよく知られていますが、一九三〇年代の日本のプロレタリアートの闘争について書いた記事があります。それを読んで私が気づいたのは、それぞれの国の文化的側面によって、社会が階級闘争に向かうのか、あるいは別の対立が起きるのか、問題の解決への道は異なるということでした。

フランスでは、伝統的に階級同士の真っ向からの対立が起きます。その中で最終的に、利得あさりをしていた人が断罪され、例えばフランス革命の際には斬首されたわけです。今のフランスでは、エリート層がフランスの大衆と完全に分断した状態を作り出していて、エリート層のフランス人は自らを「（イギリス・アメリカなどの）アングロ・サクソンのエリート層の方がフランスの庶民よりも我々に近い」と言って憚《はばか》らない。

日本では少し状況が異なると思います。日本でも社会が階級化していることについて論じられていることも知っています。しかしながら、文化的側面から言えばフランスと日本は背景が異なります。日本についてはそこまで詳しくないことを事前にお断りしておきますが、まず、日本は文化的にヒエラルキー、序列を尊重する傾向にあります。[注3] 以前、文献を読んで気づいた興味深いことがあります。それは戦国時代の日本の農民たちの直訴《じきそ》についてです。農民たちは将軍などに直接訴状を渡す、つまり直訴する人物を選び、その選ばれた人物は死罪のリスクを背負ってまで共同体のために行動したと言います。今の現代社会が全く同じというわけではありませんが、日本というコンセプトが全体をひとまとめにする力を持っているのです。そしてそれは義務や責任感というものを基盤としています。もちろん、日本にも搾取《さくしゅ》の構造はありますし、名もなき階層に属する人々もいます。しかし、階級間がそのヒエラルキーに基づく関係性を尊重する点も無視できないのです。この点については、第３章で詳述します。

これはフランスでは見られない点です。例えば日本では東大卒のホワイトカラーと、農家や漁師たちが罵《ののし》り合いながら対立するというようなことは考えにくいでしょうが、フランスではそれがありうるのです。各社会にはそれぞれ、その社会における階級同士が対立する時の型があります。それによって階級の対立も異なったものになるのです。

世界の歴史を見ても、いつも同じだと気づきます。ここでは先進国について話しているわけですが、例えば二〇〇七〜〇八年の景気後退は世界中で起きました。将来が見えなくなることへの不安が、アメリカ、イギリス、ヨーロッパ、そして日本でも囁《ささや》かれました。しかし、どこの国でも同じ結果に至ったかというと、そうではありませんでした。あるいは、一九二九年の世界恐慌の頃、先進国では何が起きたかというと、ドイツではヒットラーが現れ、アメリカではルーズベルトが出てきました。フランスではレオン・ブルムが登場し、フランス人民戦線が生まれました（左派の諸政党の連合政権）。日本は軍国主義へと突き進みました。これらの全体的な傾向というのは、国家主義が強まり国の干渉度合いが高まったという点です。しかしながら、このような傾向が、同じ価値システムを基盤とした同じ構図があったからとは言えないのです。ルーズベルトとヒットラーの間には大きな違いがあるのは明確でしょう。

そして今日、世界経済は危機を迎えている。もちろんそれは世界的な事象です。しかしそれに対して全ての国が同じ対処をするのか、あるいはできるのかというとそれは違います。歴史的に見ても、全ての国がある事象に対して同じ対処をしたなどということは今まで一度もありません。

「教育による階層化」が、昔のような「経済による階層化」に近づいているという状況も世界的なことです。しかし、それに対しての政治的な関わり方や経済面における政策などは非常に多様になるのです。

二十世紀の重要な思想の崩壊

私は良いマルクス主義と悪いマルクス主義があると考えています。悪いマルクス主義者は資本家階級を金持ちのロボットのように捉え、彼らが金儲けにしか目がなく、そこに喜びを見出していると捉えます。しかし、自らをヒューマニスト（人道主義者）と称する私は、お金持ちも人間として捉えています。つまり、彼らも自分たちの人生を意味あるものにしたいと考えている。だから金儲けもある程度を超えたら重要ではなくなります。

社会には、経済的に特権的な立場にある支配階級が存在します。そういう人々がいること自体は問題ではなく、もっと重要なことは、その支配階級の人々が人間として存在することの正当性を得るために、何らかの目的を持っているかどうかです。例えばルネッサンス期におけるイタリア・フィレンツェの銀行家たちは、フィレンツェをルネッサンスの芸術の都にすることで自らを正当化しました。他にも、信仰心の強い支配階級の場合は、助け合い・貧困層の支援・メセナ活動などに自分たちの正当性を求める場合もあります。もちろん、目的を見つけられる人々ばかりではありません。中には、ナショナリズムに傾倒する人々もいます。ナショナリズムというのも一つのレゾンデートル（存在意義）になりうるのです。ドイツ・プロイセン時代の支配階級がそうであったように、戦争の能力においてその精神的なバランスを見出す人々もいました。

現代社会の共通点は、単純に不平等が顕著になってきているというだけではありません。ただの経済の機能不全でもありません。共通しているのは、支配階級が目的を失っているという点です。

以前、私がフランスの哲学者マルセル・ゴーシェと行なった対談の最後に、ある男性が質問をしました。彼は「支配階級の人々はただただお金を稼ぎたいのだろう」と言ったのですが、私はそうではないと答えました。ごくありふれた庶民たちは、月末に勘定をトントンにして、税金を納めて子供を育て上げる必要があります。そのために働き、生き延びるという、ある意味シンプルな幸福がそこにはあります。私は人間とは生きるようにできているのではなく、生き延びるようにできているのだと思っています。つまり、精神的な問題は、お金がありすぎてその使い道に困っているような人々に表れるのです。だからこそ、二十世紀の重要な理想や思想の全てが崩壊した現代社会というのは、非常に気がかりな状態にあるのです。

混迷するエリート層

前述したように、エリート層は今日、混迷を極めています。そして社会全体に、何かうまくいかないという雰囲気が漂っています。だから「上層部にいるエリート層に裏切られた」という考え方も生まれますが、この上層部にいるエリートたち自身も歴史の中で迷子になってしまっているというのが今日の特徴なのです。

大衆は国を率《ひき》いる人がいると思っていますし、マクロン大統領自身も自分が国を動かしていると考えているかもしれませんが、実際の状況は少々異なります。ですからエリートが裏切ったという表現は少し違うかもしれません。エリートは歴史の中で道を見失い、理性を失い、何も見えなくなっているように思われるのです。また、こうした状況はフランスだけのものではありません。フランスだけであれば地政学的にも何の問題もないのですが、これは世界的な現象で、例えばアメリカも同様なのです。

今日、知識人階級において非常に強く感じる変化は、彼らがどんどん内向的になってしまっているということです。社会の上層部は、どちらかというと世界に開かれたメンタリティを持つ人々の集団であると認識されていますが、現在は全くそうではなく、これまでにないほど閉じてしまっています。集団レベルでは完全に愚かになってしまったのです。

例えば、エリートの思考が腐敗していることの例として、統一通貨ユーロが挙げられるでしょう。ユーロに関して、私はずっと「うまくいかないだろう」と言い続けてきました。ユーロはまるで宗教のようなものです。人類学者の私は、ドイツやフランス、イタリアなどユーロ圏に含まれる国にはそれぞれ異なる文化があることを理解しています。ですから、ヨーロッパの指導者層が統一通貨ユーロはうまくいく、と考えたことに驚いたのでした。

そして結果はどうだったか。結局、経済的には大失敗でした。フランスは脱工業化されてしまいましたし、一番安定していることと言えば、九％という高い失業率なのですから。[注4] ユーロが機能しないだろうというのは明白なことでした。このユーロ圏の中では、いかなるものでも共通の経済政策というのは機能しないのです。教育を受けた人々で構成されているはずの指導者層、中流階級がまさかここまで無神経さを露わにするとは想像していませんでした。

私が自著『最後の転落』（藤原書店）を書いた時、ソ連の指導者層に関してイギリスの経済学者が、「構造的にもたらされる愚かさ」という話をしていて印象深かったことを思い出します。このようなことが今の時代にも言えるのだと思うのです。

教育の発展が道徳的枠組みを崩壊させた

さらに、今の時代の自己中心主義という側面について考えてみましょう。まず道徳というのは個人レベルの話ではありません。良い行動をするためには、（自分が望ましい行動をした時に）それを好ましく受け取ってくれる周囲の人たちがいることが必要です。つまり道徳というのは個人のものであると同時に集団的なものでもあるのです。集団的な道徳観とはフランスだとカトリックの道徳だったり、別の社会ではプロテスタントのものだったりしました。国家的なレベルでは愛国心や共産主義、社会主義、そしてもちろんキリスト教による倫理観が存在しました。個人は道徳的な枠組みの中にいて、その行動によって道徳や倫理そのものを生かしてきました。

しかし今日、高等教育の発展や不平等の拡大によって集団の道徳的な枠組みが崩壊してしまった状態にあります。共産主義も宗教も消滅してしまいました。国家的なレベルでの集団的な感情というものもありません。社会主義的な感情も崩壊し、個人しかいない社会になっているのです。そしてこの集団的な道徳の枠組みをなくしてしまった個人は、以前よりもずっと卑小な存在になってしまっています。

アメリカの歴史学者クリストファー・ラッシュの著作にもある、ナルシシズムという言葉が当てはまります。ナルシシズムというのは個人主義の一つの段階と見ることができます。それは枠組みをなくした個人主義です。このようなナルシシストな個人は、「何も気づかない」ということが問題です。個人的な幸福の追求はするのですが、集団に属していることを認識できません。そして集団的意識があった頃の個人に比べて、どうしようもないほど卑小になっていることにも気づいていないのです。

ナショナリズムという理想も崩壊しました。私は、それ自体は良いことであったと思っています。正直に申し上げて、ナショナリズムはいい理想ではありませんでしたから。ただそれと同時に、富裕層がその義務を果たすべき対象だった、団結した共同体への愛国心も崩壊したのです。信仰も崩壊しました。その結果、人々がイスラム教などに対してとやかく言うようになりました。昨今は信仰への回帰などが巷《ちまた》で言われるようになりましたが、だからと言ってイスラム教が脅威であるということにはなりませんし、キリスト教への回帰などとも言われますが、そんなことも実際にはありません。要するに、それまで軸となっていた理想や思想を失った人々が新たに何か支えになるものを必要としていることを暗示しているのですが、それが具体的に何なのかがよく見えてきません。

また、今のヨーロッパの最大の脅威というのは、ヨーロッパ（ＥＵ）という理想そのものがほぼ終わってしまっているということでしょう。これが完全に崩壊すれば、西洋のエリート層は驚くほどの情緒不安定に陥るでしょう。そうなってしまうのは大変危険なことです。だから人々はまるでミイラのようなその理想に必死にしがみつき、完全に崩壊するのを何とか止めようとしているのです。私自身は反ＥＵですが、この理想の崩壊を恐れる理由は手に取るようにわかります。

社会階級闘争から教育階級の闘争へ

今、我々は決定的なフェーズにあります。教育の差を基盤とした、完全で完璧な新たな対立の出現です。これまでの民主主義国家は大衆の識字教育を基盤とした社会システムの上に成り立っていましたが、そこでは高等教育まで受ける人はわずかでした。つまり上層部の人々は庶民に語りかけることで社会的に存在していたのです。またそれは支配層も右派も同様でした。前述したように、高等教育の拡大は、社会が解放へ向かう一歩と考えられ、それが一九六八年の五月革命（パリの学生運動に端を発した、社会変革を目指す大衆運動）の精神でした。しかしながら、私たちが見落としていたのは社会全体が高等教育を受けるわけではないという点でした。高等教育を修了する人の割合はほぼ全ての国で停滞し、こうして社会は階層化された教育構造を生み出したのです。上層部には大衆エリートが君臨し（およそ人口の三分の一）、自分たちの殻に閉じこもりました。それは似た者同士だけで生きていける程度の人口に達したからです。一方で初等教育レベルで教育過程から離れた人々もまた、自分たちの殻に閉じこもりました。

前述したように、フランスでこの対立が最初に現れたのは九二年のマーストリヒト条約でした。エリートは「知っていた」のに対し、大衆は何も理解をしていなかったため、「ノン」と投じたのです。そして今、この教育格差という現象は熟したと言えます。収入と教育には強い相互関連があるということを鑑《かんが》みても、社会階級闘争は教育階級の闘争に取って代わったと言ってよいでしょう。社会グループの相違を観察するのに最も適している変数が今は教育レベルなのです。ブレグジット（イギリスのＥＵ離脱）賛成派、そしてフランスの極右政党である国民連合やトランプ米大統領に票を投じる有権者たちというのは、社会の下層部にいる人々です（トランプ票の中には高等教育を受けた有権者たちが意外と多いという事実もありますが）。そしてそこには合理性も見られるのです。アメリカでは白人死亡率が上昇しました。ですから、自由貿易を賞賛する経済学者たちが跡を絶たないにもかかわらず、人々は保護主義に票を投じたのです。

注1：トッドは自著『Où en sommes-nous ?』（我々はどこにいるのか：未邦訳）で、高等教育を受けたレベルとは、BA修了レベル（日本では学士＝四年制大学の学部修了レベルにあたる）としている。また、高等教育そのものが、そのレベルにおいて初等教育、中等教育に比べて非常に多様であり、かつ階層化されたものであると述べている。例えば二〇一〇年には「高等教育」の層に属する人口がアメリカで五四％に達しているが、その層自体が非常に階層化されている。なぜならばBA修了かそれ以上のレベルに達したのは実はこの半数の二七％で、残りは中退など「不完全」な学歴だからである。

注2：トッドは自著『Les Luttes de classes en France au XXIe siècle』（二十一世紀フランスの階級闘争：未邦訳）の中で、現代のプロレタリアート階級は生活水準が低下し、政治的な決断への影響力を失ってしまったと述べている。プロレタリアート階級の敗北という点についてはマルクスの階級闘争と共通点を見出しつつも、その後の展開については、現代のプロレタリアートは未来に希望を見出せない点が異なっていると言う。上層と下層の闘争の要因として、経済的な点と同時に、高等教育の中における格差の広がりがあるという点も指摘。昨今、フランス社会で起きた「黄色いベスト運動」などを、下層の人々が声を上げ始めたことの現れとして捉えている。

注3：この点についてトッドは、日本社会が持つ直系家族構造にその要因を求めている（第3章で詳述）。

注4：ＯＥＣＤの二〇二〇年統計より。

第2章 「能力主義」という矛盾

識字率の上昇がもたらした歴史のうねり

教育の運命というのは歴史そのものです。まず文字はシュメール（初期のメソポタミア文明）で紀元前に神殿の会計を担当していた人々によって発明されました。ほぼ同時かその少し後にエジプトでも文字文化が生まれ、それは主に表意文字と呼ばれるものでした。ただ、文字を書くという行為は、筆生《ひっせい》の階級に限定されたものでした。つまり文字が生まれた時代には、いつの日か全ての人が読み書きできるようになるなどとは誰も想像していなかったということです。なぜならば、最初の文字のシステムは非常に複雑だったという点が挙げられます。もちろんその後、フェニキア人によってアブジャド（子音《しいん》文字）が生まれ、ギリシャ人によってアルファベットも生まれましたが、それでもまだ、まさか全ての人が読み書きできるようになることなど、誰も考えていませんでした。

古代ギリシャや古代ローマでは、限定的な地域において、ある程度の人々が読み書きできる時代もあったようです。ヘレニズム時代や古代ローマの文明はもちろん文字に支えられていましたが、そこに生きた人々の大半は読み書きなどできませんでした。西ローマ帝国では、民族移動時代を経てカール大帝の時代に入ってもなお、文字は一部の聖職者に限定されたものでした。ただ、カール大帝はフランスで学校を設立した人物としても知られていますす。中世時代には商人たちが少し読み書きができるようになっていたようですし、貴族階級の一部の人々も学んだりしたようです。

その後プロテスタントの宗教改革が起き、ようやく、全ての人々が読み書きできるようになるべきだという考え方が生まれたのです。私にとって近代社会の始まりはこのあたりです。北部、そして中央ヨーロッパ、つまりドイツや北欧の国々、オランダ、イギリスなど、プロテスタントの国々でようやく全ての人が読み書きを学ぶことが可能だと気づいたのです。中世の初期に一体誰がこんなことを想像できたでしょうか。

そして、ヨーロッパ全体、全世界で現代に至るまで識字率は上昇していきました。これから一〇年も経てば地球上全ての人々が読み書きができるようになるでしょう。これに伴い、当然のことながら女性の識字率も上がり、地球上のあちこちで出生率が下がるという現象も起きました。

このように、私にとって教育の発展というのは歴史そのものなのです。もちろん私が今お話ししたのは読み書きに限定した話です。これはどちらかというとシンプルな話です。

次に、中等教育の発展があります。全ての人が読み書きできるようになる世界を想像したプロテスタントの国々ですら、まさかある日、全ての人が中等教育を受けられるようになるなんてことは想像できませんでした。最初にそれを実践に移したのは、第一次世界大戦後のアメリカでした。なぜならば国家がそれに反対しなかったからです。また、アメリカにはプロテスタントの信徒が多く、ハイスクールも設立され、第一次世界大戦後の時点ですでに中等教育を受けた子供たちの割合がとても高かったのです。アメリカでは、一九二九年の時点で実に人口の半数以上が中等教育を受けていました。

それに続く形で高等教育の発展が始まり、それ以外の国々もアメリカに続きました。そして一九六五年頃、高等教育を受けた人々の割合が全人口の三分の一に達するあたりで停滞します。読み書きとは異なり、高等教育は複雑な問題です。生活水準や両親の学歴などとも複雑に絡み合っているのです。

世界的に学力が低下している？

それ以降、おそらくテレビの出現によるところが大きいと思いますが、アメリカでは教育レベルの低下が続きました。

それを踏まえても、例えばフランスではバカロレアを取得する若者や高等教育を受ける若者の学力そのものは全体的に低下しています。また、データを見る限り、中等、そして初等教育においても学力が低下しているということが確認されてしまいました。これはフランスだけではなく、もしかすると世界的な話かもしれないと思っています。

主にフランスでの計算と読解のレベルの低下は、視覚的な娯楽が増加していることと関連しています。[注1] テレビ、そして動画などが広まることで人々は以前ほど読書をしなくなっているのです。読み方を学ぶというのは、単なる技法を学ぶだけの話ではないのです。

六歳から一〇歳の子供たちにとって何よりも大切で確かなことは、この時期にしっかりと読書をさせると能力の高い子供になる、ということです。なぜならば読書という行為が脳をフォーマットする機能を持っているからです。ですからこの時期を逃してしまうと、もう遅いのです。例えばなまりのない外国語が話せるようになるのは、ある一定の年齢までとわかっています。それと同様に、読み書きを学ぶということも、ある一定の年齢を過ぎると非常に困難であることも知られているのです。読み書きというのは、脳の発達と同時に行なわれるべきことで、おそらくそれが脳を形作るとすら言えると思います。本が多い家庭で育つということが子供にとって有利な環境であるというデータもあります。

今のフランスで問題だと思われるのは、計算力と読解力の低下が管理職の親を持つ子供たちにおいても起きているという点です。この理由として、学校教育や教育法そのものが放任主義的になってきているという見方もあります。しかし私は、どちらかというと子供たちが読書をしなくなっているということに理由があると思っています。テレビやテレビゲームができる前の時代、子供たちは読書をしているか、そうでなければ退屈していたのです。私は退屈というのは進歩のための大切な要素だと信じています。

エリートたちが愚か者ばかりなのはなぜか

さらに言えば、一五歳以上の思春期を迎える子供には、考える時間を与えるべきでしょう。考えるということは、自由な時間を持つことで自然と身に付きます。自由な時間で学校の課題図書以外のものをもとにかくなんでも読んでみる。もしかすると、子供にはある時点で敷かれたレールから外れることが必要なのかもしれません。

この広い世界において、私の知的貢献というのは本当にわずかなものだと思っていますが、研究者としては割と生産的だったのではないかとも思っています。そしてそれはなぜかと言うと、とにかく私には時間を無駄に使うことが許されていたからなのです。

私の学歴は計算しつくして構築したものでは全くありません。パリ政治学院時代には学業をやめようと思ったこともあります。教育プログラムの内容をそのままひたすらのみ込んできたのではなく、自分でたくさん迷い、考えました。もちろん、教育とは知識の受け渡し、伝達を基盤にしています。ですから、先生という立場の権威は必要ですし、そのような人たちに対しては敬意を持って接するべきです。しかし、このような権威に加えて必要なのが自由な時間です。思春期には特有の生きづらさや、自分が何者かという悩みに加えて体の成長もある。そしてその時期を経た後も、どんな人間になりたいのか、など悩みは続きます。こうやって考えること自体が、知識の習得の大切な一部なのです。だから、長くて優秀な学歴をひたすら積み上げることばかりにエネルギーを費やしていると、考える時間など持てないのです。自分とは何者かということを考える時間がない、つまり知的になる時間がないままになってしまいます。

親たちは子供の成績を気にして過ごします。そうして、成績によって区分けがなされ、子供たちも自分の能力によって定められたレベルを内面化していきます。しかし、このような教育は子供たちから何を奪っているのでしょうか。それは一人でじっくり考える時間です。本当に頭の良い人間になるためには、一人で考える時間が欠かせないのです。満点を取るということが究極の目的となれば、子供にとって考える時間がなくなることは間違いありません。社会が完璧さを要求しすぎるがために、結果的に教育や学力の低下を招いているのです。高等教育の中にもヒエラルキーがあり、競争は続きます。レベルの高い、いわゆるグランゼコールに入学する学生たちは昔よりもさらに競争の激しい中で入学を果たしますが、第1章で述べたように順応主義に染まってしまいます。

ですから、彼らが本当の意味で頭がいいのかどうか、よくわからない状態です。なぜならば彼らには学ぶという時間が与えられなかったからです。突き詰めれば、彼らの得意なことは勉強をすることで、究極のミッションは学歴を高めるということです。そして一人で考える時間を全く持たないまま、就職をする歳になってしまうのです。最終的に彼らがエリート層として指導者層に属することになるのですが、昨今のフランスの政治動向を見ていても、こうした人々の判断は誤ったものばかりだし、経済は停滞しています。ですから、優秀な学生たちが結果的にフランスの上層部に愚か者の層を作り出してしまったのではないだろうかと考えたくなるわけです。

なお、この点を日本に置き換えて考えてみると、日本では「完璧さを追求する」という文化的な側面が特殊な点として挙げられます。日本のこうした側面が、昨今世界的に見られる教育問題を緩和しているのか、あるいは深刻化させてしまっているのか。この側面が日本を保護する機能を持っているのか、あるいは逆効果をもたらしているのか。日本の読者の皆さんにもぜひ一度考えていただきたい点です。

能力主義が階級の再生産をもたらす

高等教育の発展は、メリトクラシー、つまり能力主義のプロセスの中核にあるものです。能力主義の観念を編み出したイギリスの社会学者マイケル・ヤングは、それを非常に軽蔑《けいべつ》的に見ていた人物です。教育によって人々が区分けされる世界では、実際に学業で失敗をした人々はそれを内面化し、自分は劣っている人間だという認識に至ってしまうからです。ですから学校教育の結果によって人々が選《え》り分けられる社会という理想自体、どこかおかしなものなのです。本当にそうやって人々は共に生きていけるのでしょうか。

能力主義の理想というのはそもそも、民主主義の誤解から生まれています。民主主義においては人類はみな自由で平等です。一方で能力主義においては、能力によって人々は区分けされます。ですから「共和国における能力主義」というのは矛盾しているのです。共和主義の国では人々はみな平等であるべきで、学校教育のレベルで選り分けられるべきではありません。このように、能力主義は民主主義という理想の逸脱の一種と見ることもできるのです。

フランスでは、学力においての競争力は、知的な開花を目的とするのではなく、ある社会階級がその階級をいかに効率的に再生産できるかという問題において重要な要素になってしまいました。ブルジョワはいかにブルジョワであり続けられるのか。彼らは高等教育を受けなければいけない。資本力があるので子供は家庭教師もつけてもらえます。そしてそれが経済格差をも再生産し続けています。

もちろん戦後には、大衆層出身のエリートたちもいました。その時代は一時的に能力主義がうまく機能した時代だったのかもしれません。もしかすると知的能力が社会経済的な能力とうまく調整しあえる時代だったということかもしれません。しかし今、フランスでは高等教育を受けられるのはお金のある階級の子供という傾向があるため、本当に優秀な子供が高等教育を受けているわけではありません。

とはいえそれはつまり、大衆層が再び自分たちの中にいる優秀な人材を取り戻したということでもあり、これは一面ではとてもいいことであるとも言えます。戦後、大衆層からは本当に優秀な人々が上層階級へいってしまいました。そのために、共産主義や社会主義の政党には、指導できるようなエリートがいなかったのですから。ゆえに、大衆層が優秀な人材を取り戻したという流れが、フランスにおいては例えば革命につながる可能性もあるのです。

後述しますが、フランスではすでに「黄色いベスト運動」とともに階級闘争が始まっていると見ることができます。黄色いベスト運動の参加者たちの多くは低収入で、かつ学歴の低い人々でした。この運動の指導者たちは特に高等教育を受けた人たちではなかったことはすでに知られているのですが、私からしてみたらとても賢い人々に見えました。一方で彼らに対立している人々は、グランゼコール出身の愚か者たちでした。つまり、すでに階級間において知性の転換があったとも言えるのです。

社会がどこへ向かっているのかということを観察、検討することの方が、なぜこうなったのかという問いを立てるよりも興味深いことです。それぞれの社会によってたどる道は異なるということは確かです。もちろん政府の人間や中流階級以上の人たちの学歴レベルは大衆層の人々よりも上であるというのは間違いないでしょう。しかし注目に値するのは、そんな中でも、「黄色いベスト運動」のように均衡を取り戻す新たな動きがあるということです。もしかすると私たちが今直面しているのは、能力主義の崩壊なのかもしれません。

女性が男性より高学歴になるという新しい現象

ここからは多少本筋から外れますが、教育に関して私がもう一つ注目しているのが、女性の解放です。実は、あまりにも新しい現象であるため、楽観視したらいいのか悲観視したらいいのかすらわかりません。自著『Où en sommes-nous ?』（我々はどこにいるのか：未邦訳）の中でもたびたび扱っているテーマなのですが、今までに全くなかったことなので、新しい言葉を使って表現したいと考えているほどです。

国によってかなり大きな可変性を含みますが、私たちは人類史上初めて、先進国の教育において女性が高等教育を受ける比率が男性のそれを超えるという時代を迎えるのです。このような追い越しは、初等教育レベルではかつてカリブ海のアンティル諸島の社会か、ブラジルの黒人社会でしか見られなかったことです。これらの社会では、奴隷制度によって家族制度の崩壊が起き、男女間の識字レベルの不平等が生まれたのです。同様に十八世紀から十九世紀のスウェーデンでもこのような状況が見られました。しかし、今日《こんにち》、アメリカ、イギリス、フランスやスウェーデンで見られる、高等教育における女性の優位性は全く新しい現象であり、事実として間違いなく観察できることなのですが、どのように解釈をしたら良いのかはまだわかりません。

いわゆる昔からの成功モデルは、今や理系の学業の中でのみ存続しています。今でも数学と物理は男性の砦《とりで》のようになっています。これについて社会文化的な解釈を試みることもできますが、必ずしも全てが説明できるとは思いません。フランスでは理系のグランゼコールと呼ばれるエリートの教育機関の役割が社会の再生産に大きな影響を及ぼしています。そんな国で、なぜ男性が理系の分野と強い関係性を持ち続け、その領域をいまだに男性の砦としているのかは、まだうまく説明できません。

ここで、こういう疑問が生まれるかもしれません。「教育面において女性が男性を追い越すという現象と、男女間における実際の権力と象徴権力の不平等な配分は、社会に新たな対立を引き起こす危険性を孕《はら》んでいるのではないか」と。

今、フランスで世論が注目しているのは、男性に対して女性の平均賃金が低いことと、セクシャル・ハラスメントです。これは私が問題にしている教育のデータなどからは不思議とずれた観点なのです。そもそも若い世代にとって問題はもはや女性の平等の獲得以上のものです。そして私が研究を進めている現象からは全く新しいものが見え始めています。

フランス国立人口研究所（ＩＮＥＤ）の『Population（人口）』と題された雑誌の中に最近面白い記事を見つけました。そこでは、「女性が自分より社会的地位が高い男性と結婚をする」という従来のモデルが、崩壊していることが示唆《しさ》されているのです。なぜならば若いカップルにおいては女性の方が男性よりも高学歴であるケースが増えているからです。そういう意味で、全く新しい現実が訪れていると言えます。

あるいは、これを世代間の問題として議論を進めるのも面白いと思います。全ての世論調査結果から見えてくることですが、昨今見られる世代間の分裂は教育問題と同じくらい重要な社会の差別化の要素になりつつあります。これは、アメリカのジャーナリスト、ハンナ・ロージンが著作『The End of Men: And the Rise of Women』（男の終わり、そして女の勃興：未邦訳）の中で述べていることです。この本は、中流階級、そして労働者階級の男性にとっては軽蔑的とすら感じる内容で、追い越された男性と（生活面で）自立した女性を対比しています。しかし、もちろんいまだに社会階級による分裂が残っていることと、上層部に支配階級としてわずかに残った男性の層があることも正直に本書では述べられています。そしてこの残った男性層、それが私の世代の男性なのです。この非常に薄い層が最終的に消滅するのかどうかはまだわかりません。

注1：トッドは自著『Les Luttes de classes en France au XXIe siècle』（二十一世紀フランスの階級闘争：未邦訳）の中で、動画などを本質的に有害なものと決めつけるわけではないとしつつも、例えばアメリカでは、一九六〇年から一九七〇年にかけてＳＡＴ（大学進学適性試験。アメリカにおけるセンター試験のようなもの）のレベルの低下が見られたのはテレビの出現と関係があったとし、インターネットや動画の広がりと子供達が読書を昔ほどしなくなることは今日の学力の低下につながっている可能性を指摘している。フランスでも小学校最終学年（ＣＭ２、日本の小学五年生に当たる）の計算力について、一九八七年、一九九九年、二〇〇七年、二〇一七年のデータを比較し、全体的にスコアが低下していることを指摘。また、これより少し前のデータによると、ディクテ（書き取り）のレベルも落ちているという。

第3章

教育の階層化と民主主義の崩壊

教育格差がトランプ大統領を生み出した

「はじめに」で私は「今、我々は『思想の大いなる嘘の時代』に直面している」と述べました。高等教育によって社会は階級化し、そうした構造の中で、民主主義のシステムは機能不全に陥ってしまった、と。そしてこの機能不全のレベルは教育格差によって決まる、とも述べました。

本章では、教育格差がもたらす民主主義の崩壊について考察しますが、まずはいったん民主主義そのものについて考えてみましょう。そもそも民主主義というのは、歴史の流れの中で発生する、社会のある「時期」のことを指すと私は考えています。それは、識字率は高いけれども、まだ高等教育まで受けている人は少ない時期のことです。そこでまず文化構造的に均質な社会が形成され、その後、民主的な政治形態が生まれます。つまり、政治形態になる前の民主主義というのはある種の社会の気質、あるいは社会に存在する潜在意識のことを指すのです。哲学者や知識人が民主主義を考えついたから、民主主義が存在しているのではありません。もちろん、民主主義的な体制というのは作り上げる必要があり、それがあるのは喜ばしいことですが、民主主義制度とは民主的な気質から形作られたものです。民主的な気質が機能したゆえに、現在のような政治形態となったわけです。

次に、現代社会における民主主義の状態を考えてみましょう。歴史のある時点で成熟した社会には、民主的な時代が到来します。読み書きの大衆化に続き、教育格差の時代がやってきます。まさしく現在、我々は初等教育だけでなく、中等・高等教育の発展が著《いちじる》しい時代に入りました。現代社会の特徴はこの高等教育のレベルがさらに何層にもなっていることです。その結果、お互いは不平等な関係である、という潜在意識が広がっています。社会の中でお互いを学歴や高等教育の種類などで判断するようになったのです。これが教育格差の時代です。

例えば、二〇一六年のアメリカ大統領選の際に最も注目された変数の一つが、教育レベルでした。高等教育を受けた人たちは、民主党の候補であるヒラリー・クリントンに、中等教育で止まっている人たちは共和党の候補であるドナルド・トランプに投票したと言われました。しかし本当に注目すべきは、高等教育の中でも、学部以上の学歴を有している人、あるいは有名大学出身者たち、文化的階層の最上部にいる人の多くがクリントン（左派政党）に投票したという点です。また、このような状況は世界のあちこちでレベルは違えど、見られるものです。

「集団エリート」という新たな現象

では、エリートとは何者なのか。これは時代によって異なります。民主主義を機能させるエリートとして最初に思い付く人物は、古代ギリシャ・アテナイのペリクレスでしょう。ペリクレスは貴族階級を代表し、同時に大衆の民主的なものへの願いを汲《く》み取った人物です。また、十九世紀のイギリスで投票権の拡大に貢献をした人々もまたエリートと呼べる人々でした。彼らは民衆を選挙システムに組み込むことを受け入れたのです。さらに、左派政党にも枠組みを与え、自由党が生まれました。のちに労働党の出現で勢力が衰退しますが、自由党は、例えばウィリアム・グラッドストンのような、教育を受けた伝統的にプロテスタント宗派の人々、つまりその時代の知識人やブルジョワたちで構成されていました。

フランスの第三共和政の時代がうまく機能したのも、このようなエリートたちが支えていたからです。その時代にはフランスでも民主的なものへの渇望があり、人々はデモなどを行ないました。そしてその頃の一部のブルジョワ階級の人々の中には、民主主義というのは良いシステムであり、自分たちこそ民衆の願望を代表するべき立場なのだという考えの人々が存在したのです。

知識が足りないことをまずは断っておきたいのですが、想像するに、日本でこのタイプのエリートというのは、戦後の日本に民主主義を取り入れ、経済的な発展と教育制度の民主化を進めた人々なのではないでしょうか。

とにかく、このタイプのエリートは現代社会のエリートとは意味が異なっているのです。昔はエリートというのは社会の一部の、非常に頭の良い、高学歴で社会的責任感を持ち、同時に国家に対する責任感にも溢れた人々でした。今のエリートは「集団エリート」と呼ぶべきものになっています。高等教育を受けた全人口の三〇％から四〇％の人々、必ずしも優秀ではない人々が自分たちのことをエリートだと思っているのが現状です。ある種の文化的な集団とも言えます。似た者同士の集まりで、皆が同じような思考を持っています。フランス、イギリス、アメリカなどの国々では、エリートに対して遅れている大衆がいる、といった構図ができ上がっています。エリートが開かれた世界を代表しているのに対して、そうではない人々は閉鎖的な世界にいる、というような構図です。

問題は右派、左派というよりも、彼らが教育的な観点からも「上層部」にいるという点なのです。

社会的分断と家族構造は関係している

私は先ほど、民主主義というのはある歴史の軌道の一時点のことを指すと定義しました。これは普遍的な軌道です。それに加えて、民主主義を決定づけるものがもう一つあります。それは識字率の向上とともに表出してきた、ある地域、国、民衆の思想的気質と、家族構造との関係性です。

実は私は、「民主主義は三つの種類に分けられる」と考えています。それは、「フランス・アメリカ・イギリス型」「ドイツ・日本型」「ロシア型」であり、家族構造に由来しています。

まず、「フランス・アメリカ・イギリス型」の民主主義です。例えば、フランスのパリ盆地の農民、つまりフランス革命が起きた場所での家族というのは、核家族で個人主義です。そこから生まれた価値観が自由と平等でした。パリ盆地の農民家族には、大人になった子供たちが親に対して自由であるという価値観があり、兄弟間の平等主義という価値観もありました。[注1] そのような地盤があった上で、識字率が向上し、その平等と自由の価値観は普遍的な価値観になっていったのです。

次に、「ドイツ・日本型」の民主主義についてです。日本の十二世紀から十九世紀の間に発展した家族の形というのは、直系家族構造で、そこでは長男が父を継いでいきます。ここで生まれた基本的な価値観は、自由と平等ではなく、権威の原理と不平等です。両親の代がその下を監視するという意味での権威主義と、子供がみな平等に相続を受けるわけではないという点から生まれた不平等です。つまり、日本の識字率がある程度のレベルまでいった時点で明らかになった価値観が、権威の原理と不平等だったのです。だから、軍国主義のように権威主義に基づいた形がとられた時期もありました。それはドイツを思い起こさせます。

ドイツもまた、イギリスやフランスの価値観を取り込むことに失敗したからです。ドイツは、その家族構造が日本と似通っているのです。

民主主義の種類について最後に付け加えたいのが、「ロシア型」の民主主義です。西洋でしばしば議論の対象になるのが、共産党に続いたロシア政権の本質です。ロシアの基礎にある価値観は、中国と同じで、権威主義と平等主義です。そこに伝統的な宗教の崩壊が起き、共産党が生まれました。現在、ロシア人たちは投票をするようになり、その中で、世論調査が認めるように、彼らは一斉にプーチンに投票をしているのです。これは新しいタイプの民主主義と言えます。権威主義と平等主義に合致したタイプの民主主義で、一体主義的な民主主義と言えるでしょう。

ここで、歴史的な観点を忘れてはいけません。ある社会が文化的な発展を遂げる時に、噴出する極端な価値観がある状態と、それから少し落ち着いた時期とを混同してはなりません。日本とドイツはそれぞれ戦後に民主的なシステムを築くことに成功しています。しかし、イギリス、アメリカあるいはフランスのような交代制に基づいた民主主義システム（二大政党制）にならなかったのは、こうした理由からです。ドイツや日本のような直系家族制度では、「階層民主主義」が発展しました。そこではもちろん、民主主義的な手続きがあり、人々は自由意志で政治参加をします。しかし人々は権威主義とヒエラルキーに基づく階層の存在を割とすんなりと受け入れます。自分たちよりも上に誰かがいるという「不平等の原則」を受け入れる基盤があるのです。

通常、日本の民主主義も西洋のそれと同類と見なされますが、慣習的な観点から見ると、アメリカやイギリス、フランスなどの交代制民主主義とは全く異なる機能を有しているのは明らかです。例えば、日本では自民党が長年にわたって政権を握るというようなことが可能になるわけです。そこには本来権力の正当性を担保するためのデモス（人民）という存在がありません。そのために人々はなかなか政権を変えようとせず、支配的な党が存在し続けるのです。

日本型民主主義は教育格差を広げない

前述したように、フランスやアメリカでは「社会の下層部は遅れている」という言説が溢れている一方、日本では、教育レベルの低い人々を蔑視《べっし》して語ることはあまりないはずです。この理由はどこにあるのでしょうか。

しばしば非難されるのは、「日本人には自分たちが特別だという意識があり、自民族中心主義思想を持っている」という点です。今、日本の文化は文学や料理、サブカルチャーを筆頭に、世界で敬意を払われるものになりました。日本は平和的でエレガントだと言われます。しかし、昔は人種差別的だと言われたこともありました。そうした印象を与える自民族中心主義思想から、日本には移民はいらない、という考え方も生まれます。これが西洋の考え方と違う点で、日本が非難される理由です。

しかし、こうした思想があるために、日本社会の上層部にいる政治的あるいは文化的なエリートたちはまず、自国の大衆たちに対して近しい感情を抱いているのではないでしょうか。先に述べましたが、他国において社会の上層部にいるエリートたちは必ずしもそうではなく、自分たちは下層の人たち（貧困層や移民など）とは異なっている、と感じている人も多く存在します。

また、日本にも格差の問題はありますが、アメリカやフランスほどではありません。民主主義というものは、ネーション《国民国家》の概念と強く結びついており、国民感情は重要な要素の一つです。今、次第に顕著になってきているのが、日本のような国民感情が強い直系家族構造の社会の民主主義こそが、教育格差の広がりに抵抗できるタイプの民主主義かもしれないということです。

今、自由主義的な気質を持ち、民主主義を生み出した国々――アメリカやイギリス、フランスなどの国々――で民主主義の機能不全が顕著になっているという矛盾が起きています。そもそも個人主義も核家族に関連しています。権威的なシステムではないため、教育に関しては日本やドイツなどに比べて規律の程度が比較的に低く、教育の差が生まれやすい基盤があります。

もちろん、歴史は変化しています。だから日本も変わってきていますし、日本でも格差が問題となって久しいのは重々承知しています。ただ、単純に数値で比較をしてみると、その程度はまだアメリカやフランス、イギリスより低いというのも事実なのです。例えば、フランスはEUの経済政策を受け入れましたが、それによって失業率が九%に達しているのが現状です。一方、日本では伝統的な、いわゆるエリートの家系出身の安倍晋三という人物がアベノミクスという一国の大きな経済改革を試みました。安倍首相の経済改革の評価はここではさておき、そこから見える姿勢は、実はユーロ政策のそれよりも民主的だと私は感じています。

ただし「このタイプの民主主義が民主主義そのものを救う」ということはありえない、と付け加えておきましょう。日本やドイツ、さらにはロシアでは「権威主義への回帰」という点が、このタイプの民主主義の危機につながっている可能性があるからです。

分断を脱するために必要な「交渉」とは

本書の冒頭で述べたように、民主主義の機能不全は世界中で起きています。特に先進諸国の問題は、その社会において民主主義と反民主主義という二つの気質があるということです。イギリスのジャーナリスト、デイヴィッド・グッドハートは著書『The Road to Somewhere: The Populist Revolt and the Future of Politics』(彼の地への道——ポピュリストの反乱と政治の未来:未邦訳)の中で、現代社会には二つのカテゴリーがあると述べています。一つ目が"Anywhere"であり、二つ目が"Somewhere"です。"Anywhere"は世界の様々な場所を旅し、グローバル化したエリートたちを指し、"Somewhere"はいわゆる社会の下層部にいる、特に地方に暮らす人々を指します。このように分断してしまった状態を脱するために必要なこと、それは交渉だ、と彼は述べています。交渉とは何か。エリートを非難する、あるいは下層部の人々を非難するというやり方のさらに上をいかなければいけない、と彼は言っています。そしてこの二つのカテゴリーがあることを認めるべきだというわけです。

我々に提示されている道は二つです。一つ目が「交渉の道」、もう一つは「完全なる社会の崩壊への道」です。後者の道の先にあるものは、文化的なレベルで分断された社会です。

民主主義の機能不全は教育の階層化が原因

私は現在、交渉という道に最も近いのはイギリスだと考えています。イギリスのＥＵ離脱、いわゆる「ブレグジット」で明確になったことは、エリート知識層が社会の上層部と下層部の交渉の必要性に気づいたことです。一方、フランスは崩壊の道をたどっています。EUや社会の上層部がドイツに追従する形をとっているからです。もちろんフランスには連帯の象徴のような社会保障制度が存在しますが、私がここで述べているのは思想的傾向についてです。二〇一七年にマクロンがフランスの大統領に就いたこと、そしてそれに続く経済政策も、フランスが従来のバランスを崩す方向へ傾いていることを示しています。これこそが民主主義の崩壊への道なのです。フランスは民主主義が完全に機能不全に陥っている国です。

フランスの伝統的な民主主義の姿というのは、右派と左派が闘争関係にあるものです。投票システムもそれに見合ったものです。ところが今、社会構造的にきちんと定義できないようなグループが存在し、めちゃくちゃに投票をしています。二〇一七年の選挙では、メランション（急進左派）に投じられた票がもしかしたら一番普通で、社会のあらゆる人々を含んでいたと思いますが、それ以外の候補者への投票は見事に社会のグループごとに固まっていました。大統領選の第二回の投票では社会の上層部にいる三分の二の人々が、下層の三分の一の人々に対立している構造が浮き彫りになったのです。このような民主主義の機能不全には、前述した教育の階層化の度合いが深く関係しています。フランスには今、大きな教育上の不平等があるのです。フランスの大統領選はもはやただの茶番でしかありません。フランスの大統領はマクロンではなく、「ミスター・ユーロ」と言ってしまった方が正確でしょう。

「黄色いベスト運動」は大衆とエリートの対立だった

ここでさらに、フランスにおける民主主義について考えてみましょう。二〇一八年、フランスでは「黄色いベスト運動」という反政府運動が勃発しました。背景には、フランス社会の生活水準が下落を続けているという現状があります。今回特徴的だったのは、この運動の趣旨にフランス国民の七〇％が賛同したという点です。マクロン政権にとっては大打撃でした。私自身は、この運動を評価した数少ない学者の一人です。

黄色いベスト運動の参加者たちは警察の暴力にさらされ、数千人が逮捕されました。多くのけが人も出ました。産業が衰退の一途をたどっているフランス社会の未来は、暴力的なものになりそうです。非常に暗いビジョンですが、今の私にはそう見えているのです。

黄色いベスト運動の参加者たちはほとんどが低所得者層です。そんな彼らをフランス国民の七〇％が支持しました。私は先ほど「民主主義を正常に働かせるためには、社会のエリート層と大衆との『交渉』が必要だ」と述べました。黄色いベスト運動と、それを受けた政権の対応がもしうまくいけば、それがフランスのあるべき未来の社会像となったかもしれません。しかし、結局マクロンの選択した道は対立の状態を作り出してしまった。マクロンは非常に暴力的な衝突を好むタイプの人間です。彼は「大衆と対話をする」という趣旨で「国民大討論」というフランス各地での集会を実施しましたが、その集会は、まったくもって「討論」ではありませんでした。それは権力が情報の統制を取り戻した瞬間だったのです。

黄色いベスト運動が始まってしばらくは、メディアでも運動の話題がよく取り上げられ、議論も活発に行なわれていました。私にも出演依頼が来ました。しかしこの国民大討論というものは、まさにジョージ・オーウェルが描いたSF小説（『一九八四年』）の世界でした。大討論が始まってからメディアはマクロン一色となり、テレビではどのチャンネルを回してもマクロンばかりが映っていたのです。だから私はその時点でニュースを見るのをやめました。マクロンは大統領選の時からそうでしたが、独壇場が得意で一人でいつまでも話し続ける能力を持っています。「大討論会」は討論などではなく、フランスは言論の自由がない独裁政権のようになってしまったのです。

今のフランスでは、マクロンをここまで批判する人物が少ないことは自覚しています。ですが、若年層には以前より反体制派が増えています。高等教育を受けた反体制派の若者たちの間で、私の意見は高い支持を受けているようです。反マクロンの若年層は、大学などでカンファレンスを開催し、その内容をネットにアップする形で発信しているのです。

フランス社会の階級闘争が始まっている

黄色いベスト運動以降、マクロンの人気は低迷しています。少し浮上することもありますが、基本的にはフランス国民の七〇％がもはや彼を軽蔑しているのです。残りの三〇％は保守主義者で、自らの資産やお金の心配をしている人たちです。さらに、二〇一九年五月に実施された欧州議会選挙では、マクロンの支持者層が大きく変わりました。リベラルな層が離れてしまい、逆に高齢者や小商店主など右派の支持者を増やしたのです。

もちろん、選挙前からこのような状態にあったと私は見ていますが、以前のマクロンのイメージは、「若く、リベラル」といったものでした。ゆえに、例えばＬＧＢＴの人々からも支持されていたのですが、彼らはもはやマクロンを支持していません。まさしく、今フランスは階級闘争の世界になっています。マクロンは保守派の大統領となり、社会秩序を守るためだけに存在しているようなものです。簡単に言ってしまえば「二十一世紀の大統領と謳《うた》われたのが、蓋《ふた》を開けてみたら十九世紀の大統領だった」というわけです。

さらに欧州議会選挙では、マリーヌ・ルペン率いる国民連合が欧州議会におけるフランスの第一党になりました。フランス国内では先に述べた黄色いベスト運動など、社会的な危機を迎えていた中で実施された選挙でした。なお、欧州議会の選挙とはいえ、フランスで行なわれる選挙と投票は基本的にフランス国内の状況を反映していると見なすべきだということを付け加えておきます。フランス社会は閉鎖的になっているため、ヨーロッパに関心がなくなってしまっているのが現状だからです。

マリーヌ・ルペンは、二〇一七年の大統領選では経済的不平等の問題を前面に出すという戦略をとりましたが、マクロンに大敗しました。そしてそれ以降はまた以前のように、移民排斥《はいせき》や外国人嫌いの主張に戻っています。つまり、堂々巡りをしているのです。日本では、フランスで極右が台頭していると報道されているようですが、実は国民連合の支持率は二〇一四年から伸長していません。国民連合はフランスの政治システムを停滞させる政党です。欧州議会選挙では労働者の半数に支持された国民連合だから、完全に追い払うことはできません。ですが、どんどん縮小している産業に基盤を持つ政党であるため、行き詰まっているのも確かです。

だから今後、国民連合が政権を握るなどということは、まったくもってあり得ないでしょう。そもそも国民連合の支持が伸び悩んでいることよりも注目すべきなのは、「フランス社会の五五％の人々がマクロンもルペンも支持していない」という点です。つまり適当な代表者がいない状況なのです。

この点について考えるためには職業の細分化、習慣の変遷、現代社会の個人主義の状況、集団の信条などを深掘りする必要があります。つまり、社会状況や社会の病《やまい》が、新たな政治形態の出現を押さえ込んでいる、と私は考えているのです。黄色いベスト運動で叫ばれた生活水準の低下は、今後確実にフランス全土に広がっていくでしょう。それが全体化した時に、新しい（政権の）形が生まれるでしょう。

今、我々はその歴史の始まりにいるのです。黄色いベスト運動の参加者たちはその新しい動きを作り出しました。今後一〇年、一五年で新しい政治的な勢力が出てくるでしょう。歴史を塗り替えるのはマクロン派でもルペン派でもないはずです。

ブレグジットはポピュリズムではない

では、イギリス、アメリカではどうか。前述したように、イギリスではブレグジットという小さな奇跡が起きました。民衆の決断をエリートが汲み取る、これこそが民主主義が機能している証拠です。これはポピュリズムとは異なります。なぜならばポピュリズムとは、大衆がエリートを失った状態を指すからです。イギリスのリベラルな左派の雑誌、『Prospect』を創刊したデイヴィッド・グッドハートは、「品位のあるポピュリズム（Populisme décent）」について説いていますが、これは素晴らしい表現です。反対に、今アメリカはまるでダイナミックな統合失調症にでもなってしまったようです。怒り狂った教育レベルの低い大衆層が大統領選で勝利を収め、一部のエリートはそれを認めました（トランプ自身は経済的なエリート層出身者で、共和党が崩壊することもありませんでした）。一方で、エスタブリッシュメント側の人々はこの結果を認めていません。今アメリカでは二つの権力システムが存在している状態なのです。要するに誰が統治しているのか不透明なのです。社会階層間の分離は今や完全なものになりました。そして、これらの社会グループ間の連帯感の欠如こそが典型的な国家内の分離です。

本章の最後で述べたいのは、民主主義の危機に対して完璧な解決策を期待してはいけない、ということです。国家という枠組みが民主主義を救ってくれる、ということもありません。現実の政治があるのみです。またそれは、政治的な無秩序の度合いが変わるという程度の話でしかありません。

先進諸国は今、どこももたついています。今持つべき目的は、何か素晴らしいことをしようというのではなく、酷《ひど》すぎる状態になってしまうのを避けることです。素晴らしく現状を言い当てている英語の表現に“to muddle through”（泥の中を通り抜ける）というものがあります。我々は何とかして乗り越えていくしかないのです。

注1：イギリス、アメリカ、フランスは、日本やドイツと比べて親子関係から見る権威主義の度合いが低い。しかし、平等に関する考え方が異なっており、イギリス・アメリカのアングロ・サクソン系の家族は「絶対核家族」だが、一方でフランスのパリ盆地などに見られる家族形態は「平等主義核家族」と分類される。そのため、三国は同じ型の民主主義に分類される国々ではあるが、そこで実際に起きることには違いも見られる。

第4章　日本の課題と教育格差

日本における「能力主義」

第2章では、民主主義における能力主義の矛盾について論じました。さらに第3章では、教育格差が民主主義を崩壊させる点について各国の例を挙げながら考察しました。本章では、こうした事象が日本においてどのように現れているのか、見ていきたいと思います。

前述したように、アメリカやフランスのような平等主義の社会では、能力主義は平等という理想の歪んだ形として表出してしまいました。最初は、誰もが学業をするべきで、教育は皆のものだと言われました。しかし、マイケル・ヤングが気づいたのは、大衆層の中の優秀な人たちが進学すると、社会は再び階級化するだろうということでした。そして上層には、上層にいると考える人たちによって新たなグループが形成されるのです。

フランスなどでは能力主義のコンセプトは常にポジティブに評価されてきました。人々は、能力主義は民主主義から生まれたものだと捉えているのです。多くの人は、これが実は教育の民主化の悲惨《ひさん》な二次的影響であり、結局は自己破壊に陥ってしまうものであることを理解していません。この民主化プロセスは最終段階（一〇〇％の人が高等教育を受ける段階）まで行き着けないものなのですから。

戦後の日本においてもこの能力主義という考え方は非常に根強かったのではないでしょうか。ただ、日本の特殊な点は、直系家族構造における不平等を受け入れる価値観と、江戸時代の非常に特殊なヒエラルキーの考え方、この二つをベースにしながら、それと同時に能力主義の考え方があったという点です。一方でフランスでは、能力主義とは人類の平等と強く結びついた観念であることを先ほど述べました。この違いがあるため、二つの国の結果は異なるのです。

基本的に直系家族を基盤とする日本のような社会は、そもそもが身分制の社会です。ここでは長男が重要とされてきました。それは徐々に男性全体が特権を持つ、つまり男性優位社会へと変化していきました。日本でももちろん、戦後には能力主義の発展が見られましたが、そこにはフランスで見られるような、平等に対する強いこだわりがないのです。日本にも奥深いところで、巧妙な形での平等主義が存在するとは思います。例えば、あるレベルにおいてはどの仕事も高尚であり、正しく為《な》されるべき、といった考え方です。「馬鹿な人はいても馬鹿げた仕事はない」ということです。そしてきちんと為された仕事はそれがどんな仕事であれ評価されます。それぞれがある身分に属していて、そこで自分の仕事をきちんとこなすという社会です。

もちろん、日本にも高等教育を受けたエリートが存在しますが、他国と異なるのは、人々がその身分の序列を認めているという点です。ここでは上層部の下層部に対する軽蔑、あるいは下層部の上層部に対する憎しみというものはないのです。

なぜ日本ではポピュリズムが力を持たないか

日本における高等教育の発展というのは、フランスよりもさらに突き詰められたもので、例えば大学入学の際に非常に激しい競争プロセスが存在します。また、大学もレベルによって明確に序列化されています。しかしこの能力主義的なプロセスは、日本の根本にある文化とは矛盾しないのです。

また、もう一つ重要なことは、日本にはポピュリズムがないということです。私が言うポピュリズムというのは、エリート主義を批判することで政治システムに入ってくる政党のことです。このような形は日本ではうまくいかないでしょう。もちろん、東大法学部出身者はフランスのＥＮＡ出身者と同様の立場にいるでしょう。しかし、繰り返しになりますが、日本ではフランスに比べて、身分に対して傲慢《ごうまん》な感情がないのです。

これらを踏まえた上で、日本社会の矛盾とは、身分制が色濃い社会であるにもかかわらず非常に踏み込んだ教育促進のプロセスがあり、能力主義化も進められたということではないでしょうか。日本は身分制の社会ですが、明治の頃からすでに教育の重要性を認識してきました。私が思うにこれもまた、国家が生き延びるためだったのだろうということです。日本人であると感じることや、西洋からの脅威に対抗し生き延びるために、日本社会は自分たちの価値観を超越し、階級化したシステムを残したままで大規模な民主化へ進んでいったのだと思うのです。

なお、直系家族構造の社会の問題は、非常に効率的ではあるのですが、現状の形をそのまま繰り返すという傾向があり、無気力な社会になることと関係しているという点です。直系家族の罠《わな》は、自分と全く同じものを作り出そうとする点にあるのです。それと同時に、虚弱なシステムでもあるため外からショックを受けた時に再び活性化するという側面もあります。

同じ直系家族構造を持つドイツもそうです。例えば、フランス革命やイギリスの産業革命を目《ま》の当たりにし、イギリスやフランスよりも識字率が高かったドイツは、自分たちの社会を奮い立たせる必要に迫られ、最終的には国の再発展につなげていったのです。これは日本がアメリカと接することによって明治を迎えたのと似ています。直系家族社会は、敵や刺激、外的な脅威などをうまく利用してきたとも言えるでしょう。ただ、このようなシステムからは階級闘争やエリート対大衆というような構図は生まれません。

グローバル化への適応と人口減少の関係

先ほど明治維新について述べましたが、日本について考察する際に重要なのは、日本の適応性という問題だと思います。日本の近代の歴史は、変化の激しい、また時には脅威ともなる周辺世界にいかに適応するかという問題に集約されるからです。

江戸時代に日本は商業面でも技術面でも、自国のみで目をみはる発展を遂げました。その発展の仕方のある部分は、不思議なことに一部の西ヨーロッパの発展と並行したものだったりもしました。[注1] こうして鎖国を続けていた日本でしたが、とうとうアメリカから黒船が突然訪れ、接触を迫られ、不意の恐怖に襲われたのです。

これ以降の日本の歴史は「グローバル化にいかに適応していくか」という点に集約されると思います。ある意味、安全ではない状態がずっと安定していると言ってしまうこともできるわけです。そしてこの黒船の来航による反響の一つが明治維新で、それは驚くべきものでした。工業化への適応力や戦後の回復もまた素晴らしいものでした。西洋に追いつくために進めた回復、つまり突然の変化への適応力によって、結果的に世界第二位の経済国にまでなったのです（二〇一一年まで）。ちなみに、私は一国の力をＧＤＰ（国内総生産）だけで判断せずに、技術の能力なども含めて見ます。そうした意味で、日本はいまだに大国であると思っています。

とはいえ、昔から変わらない一つの問題があるのです。それが人口の問題です。韓国なども似たような状況です。

日本は自由貿易を完全に受け入れた国ではないと思います。完全ではありませんが、ある程度、日本は自国を守ってきたと思うのです。日本国内で様々な問題があるのはもちろんわかっていますが、自由貿易によって引き起こされる社会的な崩壊、国内格差という現象に対しては、フランスやイギリス、あるいはアメリカよりも、うまく自国を守れているだろうと思います。日本の適応のための一連の努力、教育面の努力や技術面のそれは完璧主義につながっており、他には類を見ない形で高い均質性のレベルと社会の安定性を維持してきました。

しかしこれらは人口の側面を犠牲にする形で進められたと見ることができるでしょう。日本の出生率の低さはドイツに似たものがありますが、日本の出生率を分析すると、その原因には女性の微妙な地位や、キャリアか子供かを選ばなければいけない状況、父権制の名残があることなどが挙げられます。

日本や韓国のような国では、今もそうかもしれませんが、西洋システムというとてつもない圧力をかけてくるものに対抗するために、本当に多くの努力をしなければならなかったという背景がありました。そうして社会の一貫性や文化などを守ってきましたが、社会が再生され続けるために必要なレベルの出生率を保つということまではできなかったのです。

グローバル化は日本を縮小させる

先にも述べたように、日本はポピュリズム不在の国です。ポピュリズムは、グローバル化が引き起こす社会の格差が政治的な形で表出したものです。ですから日本にポピュリズムがないということは、格差が他国よりもましだということを意味するのです。また、前述したように、日本の近代史というのは国家の生き残りの歴史でした。そうして、国外からの圧力に対抗し、自己を守り、前進し、生き延びるために西洋に追いつくことを繰り返してきました。そんな中で、人口減少が実はその対価だったと言えると思うのです。

日本がグローバル化から完全に自由だったならば、人口の均衡を保つ術《すべ》を見つける時間もあったでしょう。しかし今日《こんにち》、日本は経済的に厳しい状況にあります。グローバル化による経済的なプレッシャーは、日本のような国がその最も重要な課題である出生率の回復と向き合うこと、つまり支援のためにお金を注ぎ込むことを邪魔しているとも言えるのです（ここでの出生率の支援というのは、単なる手当金のことを指しているのではありません。それは高等教育費を減らすことなども含めます)。グローバル化の圧力は日本を分断するのではなく、日本全体を縮小させているのです。グローバル化は日本がその最も喫緊とする問題と向き合うことを阻止しているると言えるでしょう。

日本は中国とどう対峙すべきか

次に、地政学的側面から日本について考えてみましょう。そもそもアジア圏は、中国によって何千年にもわたり均質化されていったという背景があります。中国国内の地域ごとに存在していた多少の違いもだんだんと消失していっています。例えば中国の南東部は歴史的に見ると女性の地位が少し高かったのですが、それも現在消滅しつつあります。これは父系制への完全移行の最終フェーズにあると言えます。この流れから多少逃れているのが日本と韓国ですが、中国の影響というのは、もちろん漢字文化も含めて、非常に強いわけです。中国も直系家族の時代があったことを鑑みると、韓国は紀元前の中国と見ることもできるくらいです。しかし、この地域で欧州統合のようなことは不可能でしょう。なぜならば規模の違いがあるからです。

国際関係には必ず、文化同士の類似性という点が重要になってきます。日本と中国の何が違うかというと、中国の人口が日本の一〇倍以上もあるという点なのです。だから中国と日本が共通の政治圏を築くということは、結果として日本の消滅を意味します。これは単純に人口規模の違いなのです。ゆえに、ベトナムは中国の脅威を退《しりぞ》けるため、あれだけひどい目に遭わされたアメリカとの和解を全くためらわなかったのです。とにかく、世界人口の約五分の一を占める中国に対しては、彼らとの統一を目指すよりも、彼らから身を守ることを考えるのが当たり前だと言えるでしょう。さらに言えば、今の中国は新たな全体主義システムを生み出したところですから、日本は今のところアメリカと同盟関係を結ぶしか選択肢がないわけです。

でもだからこそ、私は「日本は核武装をしたら良い」と考えます。もちろん、日本は被爆国として核保有に対する抵抗が強いこともよく理解しています。しかしあの時代はアメリカが唯一の核保有国で、また、アメリカ自体が非常に人種差別的な時代であったという背景も含めて考えるべきなのです。確かに日本では福島の原発事故がいまだ記憶に新しく、日本の核に関するリスクは地震と津波であるという点も理解できます。しかしそれでも、結果的に日本は国家の自立を守るために核エネルギーの利用を続けています。私からしてみたら、リスクの高い核の利用法（原発）を続け、一方で国の安全を確実なものにする方の核（兵器）を避けていると見えるのです。日本が核武装をすれば中国との関係は大きく変わり、この規模の異なる二国間の平和はほぼ永久的に約束されると思います。

フランスも核兵器を所有している国です。しかしそれをどこかの国に対して使用するなどということは一切考えられませんし、ありえないのです。誰もそれを使おうなどと考えている人はいませんし、無意識のレベルで、核兵器があることでドイツと平和的な関係を築けているのです。核兵器はフランス人にとって平和を意味するとも言えます。高尚な意味の平和ではなく、単純に周りが自分たちを放っておいてくれる、という方が近いかもしれませんが。もちろんこれはあくまでフランス人である私個人としての見方です。

ただし、一方で日本は、靖国神社とそれが象徴するもので周辺国と対立をするのはやめるべきです。靖国神社が象徴するものは、日本が本当はどんな国なのか、ということを隠してしまっていると思います。日本は十七世紀から十九世紀まで鎖国をし、外部と一切戦争をしなかった国なのです。にもかかわらず、靖国神社を巡って対立が起きることで、日本の歴史について間違ったイメージが広がってしまうのです。

なお、ここから展開する見解は他の誰にも認められてはいないもので、むしろ私の日本に対する個人的な愛着心から出ているということをまずお断りしておきましょう。日本の歴史を見る限り、基本的に戦争にはあまり関心がない国だったということがわかります。だから、近代の植民地主義もある種の〝勘違い〟から端を発しているのではないかと思うのです。

日本の植民地主義は、日本が西洋に追いつくことに必死になっていた時期に現れました。軍事においては、ドイツのプロイセンを参考にしていた時期で、法律に関してはフランスの法典を参考にするなど、日本は世界に日本人を送り出し、西洋で何が起きているのかを知ろうと必死になっていました。そしてその時期に西洋で起きていたのが、植民地主義だったのです。近代化した国家を築くためには植民地が必要だということになったわけです。またフランスはアルジェリアを侵略し、ひどい虐殺を行ない、イギリスは同じようなことをケニアで行なっていました。そしていかに白人男性が世界に対して啓蒙《けいもう》という重荷を背負っているか、これらの国の文明化にいかに貢献しているのかなどの文章が多く書かれ、それが当時の日本人の耳にも届いたわけです。もちろんこれらのテキストというのはプロパガンダだったわけですが、日本人はそれを真に受けたとも考えられます。この問題は大きな歪みを作り出してしまっています。私は国際関係に関して、非常に平和主義かつ現実主義者です。

人口減少解決のために不可欠なこと

日本には、かつて植民地政策を進めた帝国主義国家という歴史的なフェーズもありましたが、前述したように、それは西洋列強の後追いだったというふうに理解できると思います。近代では日本に知的なダイナミクスがあったために、結果的にはグローバル化に貢献もしましたが、現状、同じ家族システムを持つドイツとは異なり、国際社会において権力を求めているようには見えません。そもそも日本は長い間、外の世界と遮断した形で平和に長い時間を過ごした国です。そういう意味で、今まさしく、日本はそのような時代に後戻りしていると見ることができるのかもしれません。

とはいえ、たった一国のみで生き延びることはできません。米中覇権争いなど世界で国家間関係が再編されている今、日本の将来についても再考するべきでしょう。これは急務であると言えます。なにせ日本はこれから移民を受け入れなければならないからです。それは単純に国内のバランスを保つためでもありますが、老いていく社会の高齢者たちを支えるためにも必要でしょう。

移民については、中国など隣国との関係性をしっかり把握した上で、インドネシア、ベトナム、フィリピンなどからの受け入れを優先する方法もうまくいくのではないでしょうか。ヨーロッパからの移民だってありえると思います。また、さらに言うならば、天皇陛下が移民についてスピーチなどをすることは非常にいいことではないかと思います。というのも、この移民の受け入れというフェーズは日本にとって明治維新ほどの重要性を帯びるはずだからです。明治維新は日本が植民地化されずに生き抜くために起きたわけですが、それと同じように、少子化は今後日本という国が生き延びられるかどうかという問題と深く関わっているのです。

さらに、人口減少の対策として必要なのは女性の地位向上です。私が数年前の時点で感じていたのは、安倍政権が問題の根本にある人口減少ではなく、経済の側面にばかり注力しているのではないか、ということです。日本に不可欠なのは、女性が普通に仕事をして子供を産める環境が整うことです。同じく出生率の低いドイツや韓国もそうなのですが、直系家族の文化(父権制社会)では女性の地位が低くなることが多く、この点が問題になりがちです。人口減少に対処するために日本に必要なのは、経済状況の改善ではなく、男女の関係に大変革が訪れることなのです。

日本は「少しばかりの無秩序」を受け入れよ

さらに言えば、文化的な意味で江戸時代のリバイバルを目指すべきでしょう。日本は確かに鎖国をしていましたが、国内では商人たちが活躍し、すぐれた芸術もあり、創造性に富んだ社会がありました。それに江戸時代の人々は今の日本人のように完璧主義に悩まされることもなかったのです。だから豊かな創造性がある社会だったのではないでしょうか。性的にもとても開放的であったといいます。浮世絵の気品のある性、エロティシズムは素晴らしく、フランス人が多いに共鳴する部分だと思います。

日本で話をする時に、よく半分冗談として言うのは「日本にとっていいモデルとなるのは、江戸時代の日本だ」ということです。十九世紀の直系家族システムの最盛期ではなく、むしろ江戸時代を参考にしたらいいと思うのです。移民政策は政府がしっかりと管理して行なうべきではあるのですが、それと同時に日本人は「無秩序」を学び直す必要があると確信しています。例えば、日本では学校で子供たちに掃除の仕方を教えるといいます。また、スポーツ選手たちのクロークは試合後も非常に綺麗だそうです。それらは非常な美点であり、維持するべきです。しかしそれと同時に「多少秩序が乱れていても世界は崩壊しない」ということを学ぶべきではないでしょうか。

フランス人たちはそういう点でお手本になれると思います。フランスは一〇〇〇年以上、かなりの無秩序さを維持したまま生き延びている国だからです。クリエイティブな無秩序さや、自己組織能力という側面ではフランスは伝えられるものがあるはずです。黄色いベスト運動こそ、このクリエイティブな無秩序さを見事に表していました。もちろんこれはまだ何かの始まりにすぎませんが、それでも政府を打ち負かしたのですから。

友人の歴史学者が言っていたのですが、プロイセン軍では軍人たちに「自由について」という講義を受講することが義務付けられていたと言います。つまりドイツのように権威主義的な秩序正しい社会でも、アングロ・サクソンの核家族的な価値観である「自由」を学んで身につけることができるということです。であるならば、日本人を縛っている規律から逃げることも可能だと思います。

二〇二〇年に世界中で大流行を見せた新型コロナウイルスは、各国の強みや弱みを明らかにしました。フランスの結果は並以下という感じですが、すでにコロナ前からフランス社会は危機的な状況にあったのです。生活水準は低下し、黄色いベスト運動が起き、エリートが大衆を軽蔑し、一部を除いて社会の貧困化を進めるような年金制度改革を押し付けるなどということが起きていました。そんな中で新型コロナウイルスという危機が訪れ、マスクが自国で十分に作れないというような、まるで発展途上国のような状態が明らかになってしまったのです。フランス政府はマスクが不足していることを知っていたため、マスクは必要ないなどと弁明したりしました。死亡者数は人口一〇万人当たり約四三人という結果になってしまいました（二〇二〇年六月時点）。そしてロックダウン（都市封鎖）は経済に大打撃を与え、これから労働市場に参画しようという若者たちを追い込むような事態を招きました。

一方の日本では、厳しいロックダウンはされませんでしたし、マスクの供給もありました。一〇万人当たりの死亡率も約〇・七六人（二〇二〇年六月時点）と、非常に少なかったのです。ロックダウンをしたフランスの方が六〇倍弱の死者を出した計算になります。

しかし、それでも考えなければいけないことは、二〇一九年時点でフランスは人口の自然増をキープしている一方、日本やドイツでは人口の自然減が深刻であるということでしょう。社会の最優先事項は、生産の前に出産なのです。

日本社会はこのコロナ危機もわりとうまく切り抜けたように見えます。それは日本文化や社会的なディシプリン（規律）のおかげなのかはわかりません。しかし、あるレベルにおいては、日本のように「完璧」を追い求めることや、実際に日本にある「完璧」と言えるような状態というのはその社会にとって、重荷にもなるのです。だから子供が減っているのでしょう。いつもここに戻ってくるわけです。

変わりつつあるとはいえ、日本と移民との関係というのはいまだに難しいものがあります。日本ももちろん世界から圧力を受け、教育による格差の広がりがあり、グローバル化の悪影響も受けています。それでもやはり他の国に比べると比較的持ちこたえていると思います。ですが、これらは人口の増加を犠牲にしている上で成り立っているため、少子化が抑えられません。あるレベルにおいては、社会的な格差よりも人口の収縮の方が深刻な問題になりうるのです。日本に関しては人口の問題を何とかするしかないのです。

繰り返しになりますが、これからの日本に必要なのは「少しばかりの無秩序」であると私は謹言したい。男女間での無秩序、家族内での無秩序、そして移民を受け入れることで発生する無秩序。日本社会のように完璧を常に求めることは、ある程度発展した社会では逆に障害になってしまうからです。

注1：この点について、トッドは編集部のインタビューに対して以下のように語っている。少々長くなるが、該当部分を紹介する。

「興味深いのは、日本と一部の西ヨーロッパの発展が実は何世紀にもわたって並行して進んでいたということです。これについては、歴史人口学者である故・速水融教授を始め、すでに日本でも指摘されている点です。

　例えば、ベルギーの中世学者フランソワ・ルイ・ガンショフによるヨーロッパの封建制度に関する著作の中で、同時代にヨーロッパと似たような制度が存在していた国として日本が挙げられています。他にも、十七世紀、ヨーロッパでは人口増加が停滞する時期があるのですが、日本も似たような状況にありました。そのさらに前の時代では、例えば十四世紀から十六世紀、宗教の危機と農民の反乱が起きた時代、ドイツではプロテスタンティズムとドイツ農民戦争が起きるのですが、同じ頃、日本でも浄土真宗など新たな宗派に組織化された農民の反乱が起きました。

　日本人研究者による、とても素晴らしい表現があります。日本を『極東』ではなく『極西』と呼んだのです。日本人というのはヨーロッパ人であるとも言えるのです。もちろんヨーロッパのどこでもいいというわけではなく、ドイツやフランスの南西部、あるいはスペインのカタルーニャ地方やバスク地方と近しい。これらは家族構成が直系家族の文化圏で、お互いが同じであることを知らないだけなのです」

第5章　グローバリゼーションの未来

教育の階層化と自由貿易の関係

現在、世界で大きな問題となっているのが自由貿易を背景とした米中対立です。本章では、高等教育と自由貿易の関係、そして自由貿易が社会の階級化をさらに推し進めている現状について、お話ししましょう。

これまでの章で見てきた通り、高等教育の発展は結果的に社会を分断させ、階級化していきました。高等教育を受けた上層部、つまり全体の二〇%の人々が特権的な層を形成していた頃、この階級は文化的な利点を持ち、また自由貿易に対しても有利な立場にありました。そうして彼らが自由貿易を社会に押しつけたのです。自由貿易は、高等教育を受けた社会の二〇%の人々がその恩恵を受けていた時期に、最盛期を迎えました。

さらに昨今では、物事はより一層複雑化しました。まずこうした特権的な人々が社会の二〇%から三〇%に増加しました。そして、自由貿易を推し進めすぎた国では様々な支障が出るようになったのです。アメリカの中流階級の人々の収入の中央値が大きく下がった後、つまり二〇〇〇年代初頭から、今度は大卒者の収入レベルが停滞を始めました。高等教育の学歴も、もはや社会的な堕落《だらく》から彼らを守ることはできなくなりました。従って今では、高等教育を受けた人でも、特に若者たちが自由貿易によって苦しめられているという状況になっています。だから、高等教育を受けた若者たちの中から自由貿易反対という声が聞かれるようになったのです。

こうした傾向が最も顕著なのは、アメリカのバーニー・サンダース支持者たちです。さらに、二〇二〇年五月、ジョージ・フロイドの死によって起きた、一連の黒人差別に反対する全米デモを見てみましょう（アメリカ・ミネアポリスで黒人男性が白人警官に取り押さえられ、その際に喉を圧迫されて窒息死した事件をきっかけに米全土で起きた大規模デモ）。そこにはもちろん、アメリカに昔からはびこる人種差別という問題や警官の振る舞いが引き起こす惨劇《さんげき》という側面があります。しかしそれだけではありません。このデモや略奪行為から見えてきた新たなことは、二〇代、三〇代の若く、高等教育を受けた白人たちもそこに参加しているということなのです。彼らの多くが、自由貿易の被害を受け、サンダースを支持した人々です。つまりここにも、自由貿易との強い関係性が現れているわけです。

まとめると、まず初めに、高等教育を受けた特権的な層が自由貿易をもたらしました。それから自由貿易の悪影響が出始めます。同時に高等教育を受ける人口が増加していきました。それによって、若く、高等教育を受けた人々が自由貿易の悪影響を受けて苦しむようになりました。そして自由貿易への対抗が起き、結果、トランプが大統領選に当選したのです。

私が一九九〇年代に『経済幻想』を著《あらわ》した時、世の中では「自由貿易が国家を崩壊させる」と言われていました。私は本書の中でおそらく初めて、教育の階層化という現象について語り、自由貿易が国家を崩壊させるのではないと述べました。教育の階層化が国家を崩壊させ、それが自由貿易をもたらす、と言ったのです。最初の要因となったのは、国家内における教育だったのです。

トランプの勝利以降、私はグローバル化疲れ（グローバリゼーション・ファティーグ）というコンセプトを唱えました。当初、トランプの支持者たちというのは教養がなく職を失った労働者たちとして描かれたため、アメリカの真の状況について私たちは歪んだ見方を持っています。トランプ大統領の勝利は労働者層からの支持があったからですが、それだけではないのです。自由貿易は、先進諸国において残忍な形で不平等を拡大し続けています。自由貿易が優遇するのは資本家と高齢者です。だから私はグローバル化疲れという話をしたのです。アメリカ人たちは疲弊しています。そしてそれは場合によっては死を意味することすらもあるのです。

疲弊した大衆は保護主義を支持した

では、自由貿易は実際に何を引き起こしているのか。今の自由貿易では需要に構造的な圧力がかけられ、すでに貿易戦争と呼べる状態を作り出しています。トランプ氏は戦争状態にある中で、そのルールを逆手に取ったということです。彼の髪の色が気に食わないからとか、大金持ちのハリウッドスターたちに嫌われている人物だからとかいうような理由で、この点について真面目に向き合わなくてもいい、という態度を取るのはもうやめた方がいいでしょう。歴史という側面において何を意味するのかということを検討すべきです。

第二次世界大戦後、アメリカは再建中の国々、つまりヨーロッパや日本などに自国の市場を開放する気前の良い政策をとることで、世界に自由貿易を押しつけてきました。そうして、三位一体の体制（欧・米・日による経済の三極構造）を整えることで、共産主義圏に対抗することを可能にしたのです。しかし、ベルリンの壁崩壊後、一一億人を超える人口（当時）を抱えた中国が徐々に自由貿易の輪に入り込んできました。そうしてアメリカは、貿易赤字が制御しきれなくなったことに気づいたのです。今日《こんにち》、アメリカの貿易赤字の六五％は中国との貿易に関連しています。一方で世界中の経済学者たちは、左派も含めて自由貿易に対して素朴な信仰心を生み出しました。こうして自由貿易というのは越えられない領域、宗教のようなものになっていったのです。

しかしながらいくつもの研究が示したように、一九九九年以降、それまで低下を続けていた白人アメリカ人の死亡率は逆に明らかな上昇を始めました。加えてこの現象は、特に中国のWTO加盟によって打撃を受けた産業がある州で、顕著に表れたのです。この状況下にいた人々こそが、トランプ大統領を支持した大衆層です。もちろんトランプだけが保護主義を説いたわけではありません。二〇一六年の大統領選で対抗馬の一人だった民主党のバーニー・サンダースも保護主義を唱えていました。要するにアメリカの世論では保護主義が有利になったと言えるのです。

これまでアメリカでもフランスでも、思想的な面での自由貿易への反対は失敗を続けてきました。私も反対してきましたが、他にも有名な経済学者、ジャック・サピールやジャン＝リュック・グレオなども反対していました。しかし、大衆層と大卒の若者たちの痛ましいほどの状況悪化が引き金となり、二〇一六年のアメリカ大統領選において、世界が驚く中で、自由貿易に反対するという流れが勝利したということなのです。それは大統領選の第二ラウンドという高いレベルにおいて、明晰《めいせき》なポピュリストたちが理性を失ったエスタブリッシュメントに勝利したとも言えるでしょう。

これは一つのサイクルの変化として捉えることができます。世界一の大国が大規模な移行フェーズにさしかかっているのです。これまでの歴史を振り返ってみても、アングロ・サクソン系の人々は大きな針路変更を可能にしてきた人々だということがわかります。例えばレーガン大統領のネオリベラリズムは、ルーズベルト大統領による福祉国家が構築した社会を打倒しました。そして今日、アメリカの新たな世代が八〇年代のモデルを一掃しようとしているのです。

重要な点は、それがいいか悪いかではなく、実際にそれが起きているということを直視するべきだ、ということです。道徳的観点から考えるのではなく、力関係から考えるべきです。アメリカは今、石油に関しては再び自給可能な国になり、また、世界の特許申請数の約二割を占め、多くの人々がアメリカの高等教育を受けたいと願っているのが現状です。もしアメリカ人たちが保護主義を望んでいるとしたら、それは現実になりうるのです。《Yes they can》です。一方で中国はアメリカに対して貿易黒字ですが、テクノロジーに関してはまだ脆弱《ぜいじゃく》な側面を持っていて、高齢化の速度も速まり、最も能力のあるダイナミックな人材は国外へ流出しています。ですから彼らはすでに敗北したと見ることができるのです。

グローバリゼーションは終わるが〝世界化〟は終わらない

なお、「グローバリゼーション」と「世界化（Mondialisation）」を区別しておく必要があります。

世界化というのは、インターネットにより世界中とコミュニケーションを取ることが可能になった状態、英語の世界共通語化、人々の国家間移動が強化されたことなどを指します。今やほぼ世界中の人々が読み書きができるようになり、発展途上国でも西洋の夢を自分たちのものにすることが可能になっているのです。それは、十九世紀、より良い世界の夢を農民たち自身が描けるようになり、都市への流入が起きたことと同様です。

一方でグローバリゼーションというのは、モノと資本の自由な流通という点に限ります。私たちはグローバリゼーションの終焉を迎えようとしているのかもしれませんが、それは世界化が終わるということではないのです。エリートたちはよく考えもせずに「保護主義はソビエト時代の統制経済の再来だ」などと喚《わめ》くのをやめるべきです。

ドイツの経済学者フリードリヒ・リストの保護主義の定義によると、それは自由主義の一端でありながら、国家（ネーション）の存在を認めるものです。リストは、商品の交換という側面においては保護主義を主張していましたが、ヒトと資本の流通の自由には賛成していたのです。これこそが効果的な保護主義でしょう。投資家たちを惹《ひ》きつけ、ダイナミックな人々を国内のマーケットに呼び寄せることが可能な世界です。自由貿易というのはかなり単純な思想で、全ての障壁をなくせばうまくいくというものです。保護主義はそれに比べて実用主義的で、そこまで断定的なものでもありません。

非常に多様な種類の保護主義が存在しています。だからこそトランプも現状のシステムを揺るがすことができるのです。その一方で世の思想家たちは、「自由貿易よ、世界を制覇せよ」と、まるで神に願うかのように祈り、結果的には世界一の大国を破門に追い込んでしまうでしょう。トランプは同盟国ということを前提に、輸入の一部では免税に踏み切っています。そうすることで、メキシコ、カナダ、イギリスは真っ向からの対立、例えばベルリン／北京という神話的な自由貿易枢軸《すうじく》同盟に巻き込まれることも避けたいと考えるでしょう。それに、ドイツも中国もそもそも自由貿易主義の国ではありません。あくまで金儲けという目的のもとで、内需を収縮させて密《ひそ》かに保護主義を実践しているのです。もしアメリカが、貿易黒字は停滞しているけれども世界の特許の三分の一を所持する日本を主な同盟国と定めるのであれば、彼らはすでに勝ったも同然です。要するに、世界化された私たちは変わらず残り、英語は世界中で浸透し続け、インターネットという名の帝国もさらに拡大していくでしょう。しかしそれと同時に、新たな地政学的な配置が立ち現れるのです。

保護主義は本来、民主的な仕組み

「ブレグジット以降、イギリスという自由貿易の国もまた、保護主義に傾倒し始めている」と言う人もいます。私は、現時点ではイギリスで起きていることは保護主義ではないと見ています。しかしながら、確かにイギリスではアメリカと同様、世代間の分離が見られます。イギリス人はアメリカ人と同じように、労働者階級をめちゃくちゃにしました。サッチャー首相はネオリベラリズムを代表する人物としてはレーガンと同様です。そしてイギリスもまた、アメリカのように金融化されたのです。トランプを支持した人々と社会的に近い層がブレグジットを支持しました。これもまた大きな変化、新たなサイクルの始まりと見ることができます。

ただ、フランスのポスト民主主義で起きていることとは逆に、イギリスでは民主的な選択はきちんと重要視され、アメリカと同じような道を歩み始めています。私たちの最大の驚きは、イギリスの右派の保守党がブレグジットを認め、ＥＵ離脱に向かうための具体的な方法を検討したことです。また、保守党が左派的な保守主義の道について探り始めたということも大きな驚きの一つでしょう。このような背景を踏まえて、私は今この保守党に好感を抱いていることを白状しましょう。しかし同時に、実はこの新たな保守主義は左派や労働党の思想に再び活力を与える力も持っています。海を挟んだ隣国では今、新たな世界が立ち現れているのです。そこではアカデミアの人々がストライキを起こし、そのストライキはごみ収集作業員たちの歓呼によって支えられています。私たちは大陸側でいまだにのろのろとしています。しかし、ネオリベラリズム以後のフェーズですでに私たちは後《おく》れを取ってしまっていたのも事実です。

こうした状況で、ヨーロッパは今後どうするのでしょうか。最近はフランス人の指導者が国際交渉の場に立っているのを想像するたびに、フランシス・ヴェベールの映画『奇人たちの晩餐会 Le dîner de cons』を思い出します。[注1] 八三〇〇万人の人口（二〇一九年データ）を抱えるドイツ人を調教したテクノクラートたちが、今度は三億人を超えるアメリカを屈服させようというのです。しかし、彼らは熱心に貿易戦争について語りますが、実はユーロ圏こそ、その戦争が最も激しい場所であることをまるで知らないのです。緊縮財政政策は為替レートでの調整が不可能ということと合わさり、戦争状態は他のどの地域より激しくなっています。まさしく今フランスが負けかかっているのです。私たちの産業は徐々に衰退し、ＴＧＶ（フランスの高速鉄道）を作る力を含めて、多くを失くしつつあります。

だから、アメリカが私たちを貿易戦争に巻き込んだ、などという言い掛かりは全く意味をなさないのです。もしアメリカが定義するような保護圏がヨーロッパでも生み出されるのであれば、私は諸手《もろて》を挙げて喜ぶでしょう。そこでは賃金上昇が再び可能になり、総需要は増加し、それによって大陸間での貿易が活性化されるのです。

しかし、ヨーロッパはアメリカのように民主主義的な気質ではありません。保護主義に移行するためには、民衆の選択の正当性を認めなければなりません。ですから、保護主義への移行はある意味社会的な革命なのです。

このような経済的な発想を理解するためには、ただ単にそれが国内総生産のために良いかどうかという点を検討するだけでは十分ではありません。保護主義は労働者、技術工、エンジニア、一般の人々、大卒者、そうではない者、移民とその子供たちにとっても有利な選択であることも見抜けなければいけないのです。保護主義は本質的に民主的なのです。なぜならば、不平等を減少させるからです。「保護主義＝閉ざされた世界＝差別主義」という聞き飽きた構図は、結局はあまりにも裕福な人々、あるいはあまりにも怠惰な人々による思想戦争の武器に過ぎないのです。

反EU運動はポピュリズムなのか

では、イタリアで二〇一八年三月に行なわれ、左派ポピュリストと言われる「五つ星運動」が与党第一党を取った選挙も、このような保護主義への反応の性質を帯びているのかどうか。

これは現実に戻ってきたと解釈できると思います。西洋エスタブリッシュメントの悲喜劇というのは、私たちの目の前で次々に起きることにいちいち驚いていることです。まるで世界が常に驚きに溢れ、説明不可能なことばかりが起きているかのように。しかしこれこそが思想が頑迷《がんめい》していることの明確な証拠で、マルクス主義で言う虚偽の意識なのです。失業率や賃金の停滞、社会流動性の低下、そしてその結果である社会格差などの全てを含め、この世界をありのままで見られるようになれば、ヨーロッパと世界の選挙結果に表れる変化についても理解できるようになるでしょう。

今起きているのは、代表制のシステムの崩壊です。一般的に使われる「ポピュリスト」という言葉、それは単に「何もわからないけど、とにかく何か言わなければ」というコメンテーターの態度の表れです。今日イタリアで起きていることと同様のことが、その前にはカタルーニャで起きていました。[注2] カタルーニャが結局独立を諦めた理由は、裕福かどうかというよりも、もはやスペインが政治的な意味でネーション（国民国家）として存在していないからなのです。そして首都マドリードは、失業と移民の問題をそのままに放置するブリュッセル（EUを指す比喩）の窓口と化してしまいました。この政治システムの崩壊はEU圏にとって深刻な結果をもたらしかねません。フランスでもこの代表制政治のシステムは崩壊したところです。ドイツを真似ようとしていたのに、気づけば結果的にイタリアやスペインと同様になったのです。

移民と民主主義の関係——民主主義には「外国人嫌い」の要素がある

私の自由貿易に関する批判というのは基本的に経済に関するものです。しかし、人の流れの行き過ぎた自由（移民）に対する反抗もあります。

民主主義というのは最初から普遍化を目指すものではありませんでした。民主主義とは、ある土地で、ある民衆が、お互いに理解できる言語で議論をするために生まれたものでした。民主主義の思想には、土地への所属ということと、外から来るものに対する嫌悪感が基盤にあるのです。歴史を侮《あなど》ってはいけません。ギリシャのアテネ、人種差別主義のアメリカ、フランスのナショナリズム的な革命。ですから、ブレグジットやポピュリズム運動など、今起きている民主主義への復活の裏にはこの「外国人嫌い」の要素が含まれていることはある意味当たり前なのです。これは半分冗談として聞いていただきたいのですが、「もし大規模な外国人嫌いの思想が民主主義を崩壊させるとしても、少しだけであれば逆に民主主義を到来させるだろう」ということです。民衆の自己意識は、ある程度の社会的な団結と集団行動を可能にするための「必要悪」なのです。

また、私は常に分別のある移民受け入れに賛成してきました。私の家族も一部、イギリスにルーツを持っています。こうしたファミリーヒストリーを持つために、そうとしか考えることができないというのも事実です。私は、ほどよく移民を受け入れることで、社会が活性化すると信じています。様々な宗教、人種が集まり、混合している社会を具現化した「世界都市」、ニューヨーク、ロンドン、パリなどの都市は昔から私の憧れでしたし、今でもそうです。

しかし、イギリスの経済学者ポール・コリアーの著書『エクソダス　移民は世界をどう変えつつあるか』（みすず書房）を始め、この問題についてのイギリスの研究を学ぶ過程で、私は「最低限の国土の安全が保障されていなければ、民主的な生活を営《いとな》むのは難しい」という考えに至りました。ですから移民の流れを制御する政策自体は不当だとは思いません。もちろん、この問題についてのトランプの発言の仕方には全く賛同できませんが、その一方でメキシコ人は誰でもアメリカに移住する権利があり、それが当然なことだ、というふうにも思ってはいません。それと同じように、ポーランド人は誰でもイギリスに移住できるというわけではありません。
フランスにとっても同じことが言えるのです。私が『シャルリとは誰か?』（文春新書）を書いた時、フランスのイスラム教徒たちを擁護《ようご》したことで私はひどく非難されました。ですから普遍主義[注3]については誰よりもよく理解していると自負しています。この時に浴びた非難の集中砲火を踏まえた上で、国境の管理は必要になることがある、と私が主張することは許されると思います。さらに言えば、この制御の正当性を無視することは、そこに暗黙のうちに反民主的な要素が含まれていることを指します。国境の完全な開放に賛同する人々は自分たちを左派だと思っていますが、私からしてみれば極端な反・民主主義者たちなのです。領土の安定がないところで民主的なシステムは不可能だからです。

近年感じるのは、一方で西洋社会の人々が身内意識を持ちたいというある種正当な願いを抱き始めたのに対し、一部の文化的、社会的な層ではこのような急進的と言えるほどの国境開放への感情の高まりがあることです。しかしこの急進化は進歩の兆しでも、他者理解が高まった証拠でもありません。私はそこにニヒリズム（虚無主義）の局面を見ています。

注1：『奇人たちの晩餐会』は、「バカを自宅に招待して酒の肴にする悪趣味な晩餐会をしていたバカたちが、ある日招待したバカに翻弄されてドタバタ劇を演じる」というコメディー映画。

注2：二〇一七年一〇月に起きたカタルーニャ独立宣言などの一連の動きを指す。

注3：フランスは、フランス憲法にもあるように「単一にして不可分」な共和国である。またこの共和国原理（自由・平等・友愛）に根ざしているのが普遍主義である。普遍主義では、人類は皆平等であるという考えが基本にあり、フランス国民であれば文化や宗教の違いに関係なく同じ国民として同等の扱いを受けるという原則につながっている。

第6章　ポスト民主主義に突入したヨーロッパ

国内の分断と民主主義の崩壊が同時に起きている

ヨーロッパに関しては考察も最終地点にたどり着いたと感じています。今、ヨーロッパで何が起きているのでしょうか。

ドイツは人口的にひどい状況にありますが、経済と政治の有効性という側面ではまだ桁外《けた》れなレベルを保っています。ドイツはユーロ通貨圏の管理を手に入れました。未来の歴史家たちは、私たちの時代を振り返り、統一通貨ユーロを導入した選択について、信じられない戦略の一つだったと表現することでしょう。もはや一九四〇年のマジノ線（ナチスの侵攻を防ぐためフランスがドイツとの国境に築いた要塞）の戦略と同じです。ユーロは機能しませんが、ある種の思想的な理由から人々の心に入り込み、すでにそこから抜け出せなくなっているのです。ドイツの周辺国、ラテン系の国々はとてつもなく高い失業率を抱え、衰弱しています。そして東欧はと言えば、出生率が低下。これは大きな不安の表れです。例えばドイツ人とルーマニア人の収入格差が表すように、ヨーロッパは経済面、社会面において不平等であり、そのレベルはこれまで不平等の極みでもあるかのように名指しされてきたアングロ・サクソン系の国々（イギリス、アメリカなど）を超えてしまっているのです。

EUの目的というのは生活水準を平等にすることでもあったはずですが、東欧など力が弱い国からの当選者たちは規則を覆《くつがえ》すことなどできません。しかしそれはそんなに驚くべき事態でしょうか。ヨーロッパ社会の無意識について検討してみるべきです。ユーロ圏では直系家族が伝統的に家族構造の基盤となっている地域が優勢的です。これはもともと農民のシステムですが、そこでは相続人はたった一人だけ選ばれ、また根底にある価値観は不平等と権威です。しかし、私のヨーロッパにおける潜在意識の分析というのは、結局は歴史の常套句《じょうとうく》です。一九三〇年代において、一体誰が大陸ヨーロッパをリベラル民主主義の開花する場だと言ったでしょう。民主主義が生まれたのは、アングロ・サクソンの世界とパリ盆地です。その他の地域が近代、ユーロ圏の政策にもたらしたものと言えば、サラザール、ペタン、フランコ、ヒットラー、ドルフースといった独裁者たちです。

人類学的かつポスト宗教の大陸ヨーロッパのポテンシャルを鑑みると、地政学上で昨今実際に起きたイギリスとアメリカの撤退の後、この地域において真の民主主義が持続されると考えるのは愚かだと言わざるをえないでしょう。今日《こんにち》表出してきていることは（権威主義的価値観という）大陸ヨーロッパの伝統であり、それはリベラル民主主義にとって決して好都合なものではないのです。フランスならば民主主義的な価値や平等の価値をそこにもたらすこともできたのかもしれませんが、そんなフランスも今や自立した国ではなくなってしまっています。

さらに言えば、EUは、抽象的な政治哲学の観念が現実の壁にぶち当たっている場所でもあります。民主主義の考え方、つまり「人はみな平等で自由」という理想は素晴らしいですし、私自身も大賛成です。しかしながら、それがうまくいくためには人々の教育レベルが均一でなければならず、お互いに理解し合えて、そして時には衝突し合うことも可能でなければいけません。今のEUではそれは不可能なのです。

民主主義とは、抽象的な人類のための概念というだけではなく、ある一定の市民がある理由から組織化し、同じ言語でコミュニケーションができる状態を基盤とし、そこから様々な決断を下していくプロセスを指します。だから民主主義は、国家という要素を必ず含んでいるのです。しかしながら現代において、その点が不明確になっているため、国内の分断とネーション《国民国家》批判と民主主義システムの没落が同時に起きているのです。

万が一民主主義がなくなっても、必ずしも全体主義に向かうというわけではありません。表現の自由がなくなり、生活が耐え難いものになるというわけでもないでしょう。しかし、このポスト民主主義とも呼べる現時点で耐え難いのは、社会の上層部の人々にとって生活は心地いいものであり続ける代わりに、それ以外の人々は社会の周辺に追いやられているということなのです。もしかするとこのシステムも崩壊するかもしれません。そして、ブレグジットをなしとげたイギリス人たちのように、フランスも再び自立し、階級間の連帯を見出すことで国家再建の方法が見えてくるかもしれません。

ブレグジットの未来、欧州崩壊の予兆

ただ、ここで一つフランス人たちが勘違いをしている点があります。それはイギリス人がどのような人々なのかという点です。歴史的に見てみると、イギリス人というのは基本的に争いごとを好まず、交渉を得意とします。だから紛争になるまでにとても時間がかかるので

すが、いったん争いが始まると力を発揮するという側面を持つのです。歴史的に比較をするのは難しいのですが、例えば一九三〇年代、イギリスの外交はひどいものでした。そのような状態のままで第二次世界大戦に突入。すると、しっかり力を発揮し、チャーチルのような人物が登場するに至りました。これを取り立てて騒ぎ立てる必要もありませんが、イギリス人たちはなかなか紛争には至らないが一度始まれば強い、ということをどこかで意識しておくとよいでしょう。

ブレグジットの実現は、イギリスよりもむしろＥＵ側に困難な事態をもたらすことを意味しています。失業率に関して、イギリスは四・五％程度なのに対して、フランスは九％です。[注1] 経済的混乱が起きれば最初につぶれるのはフランスなのです。

また、ＥＵがイギリスとブレグジットの交渉を続けていた期間、フランスでは黄色いベスト運動という社会的な危機が訪れ、社会が非常に弱ってしまいました。他方、ドイツも政治的な目的を失っています。結果的にはＥＵ側に問題のしわ寄せが来ると私は見ています。

とはいえ巷間《こうかん》言われるように、これを機に他国がブレグジットに追随するかというと、それは簡単なことではないでしょう。というのも、他国はユーロ経済圏を出ることを恐れているからです。大きな理由の一つは、ヨーロッパ大陸全体で日本と同様に高齢化が進んでいることです。彼らにとってユーロ離脱は貨幣の不安定化を意味し、年金の不安につながります。私も含め高齢者たちはユーロに人質に取られているような状況です。なぜならば、指導者たちは通貨システムが崩壊すると年金がなくなるばかりか、貯金にも影響が出ると脅《おど》すのですから。だから離脱は恐い、というのが本音なのです。

EUに関してもう一つ忘れてはいけないのは、イタリアがドイツに対して抱いている敵対心です。原因となっているのは、ドイツがイタリアに強制した緊縮財政政策などです。今日のEUは、「権力と束縛のシステム」であると言えます。「平等で仲の良い国々の集まり」というEUのイメージはもはや崩れ、南ヨーロッパの国々は半分植民地のような状態に陥っています。もし私が「ヨーロッパの終わりはどう訪れるか」と尋ねられたならば、おそらく「支配国であるドイツがなにがしか不条理なことをしでかすことで訪れる」と答えるでしょう。

ドイツ政治はヨーロッパ史上、特に十九世紀以降は不条理な政策を打ち出し続けたことに特徴があるからです。緊縮財政政策から始まり、現在ヨーロッパ経済が前進できずにいる理由である、公共投資の抑制などを行なってきたことも挙げられます。また、福島の原発事故以降、突然どの国にも相談なく原発エネルギーの廃止を宣言し、結局石炭をもとにした火力発電所をフル稼働することで環境汚染を拡大しました。難民や移民政策についても誰にも相談なく進めたのです。ドイツはこういった非常に重要なイシューについて、誰にも相談なく勝手に不条理な決断を下すということを繰り返しています。自国の統治すらうまくできていないドイツが、現在のEUを率いているのです。

ドイツが築き上げた「ドイツ帝国」という経済システム

すでに本書でも何度か触れていますが、私の専門である家族人類学では、ドイツと日本を同じ直系家族のシステムを持つ国として分類しています。この両国を見比べてみると、日本の傾向を分析するのは割と簡単なことです。というのも、人口の減少という明確な危機的状況があるからです。日本の将来を考えるための唯一のパラメータは、今後数年で日本がどの程度の移民を受け入れるか、という点です。ところがドイツ。これは大変に難しい問題です。ドイツは人口面では日本よりも規模が小さい。ところが国際的な国家権力を諦めていない国なのです。

ヨーロッパではよく、日本の軍国主義化を懸念する意見を耳にしますが、そのたびに私は、「心配する必要はない」と言っています。人口減少を受け入れた、つまり国家の縮小を受け入れた日本という国が、帝国主義的な方向に行くわけがなく、ましてや国際社会においても力を持ちたいと思っているはずがないからです。その点、ドイツは違います。移民を受け入れ、傲慢なほどの姿勢で自国の人口維持に必死になっているのです。そのために東欧諸国との経済システムを再構築し、東欧の安価な労働力で生産した製品を、ドイツを経由して他国へ輸出するという「ドイツ帝国」とも言うべき経済の形を築き上げています。ドイツのGDPは世界第四位（二〇一八年名目）ですが、これに関しては「ドイツ帝国」のシステムを築いたという点を押さえておくべきでしょう。

ドイツは国民全体の高齢化と闘っていて、常に労働力を求めているのです。私はドイツと日本についてかなり研究してきましたが、この両国の人口は世界で最も高齢化していて、中位年齢はドイツが四五・七歳、日本は四八・七歳です。一方、アメリカは三八・三歳、イギ

図6-1　各国の中位年齢

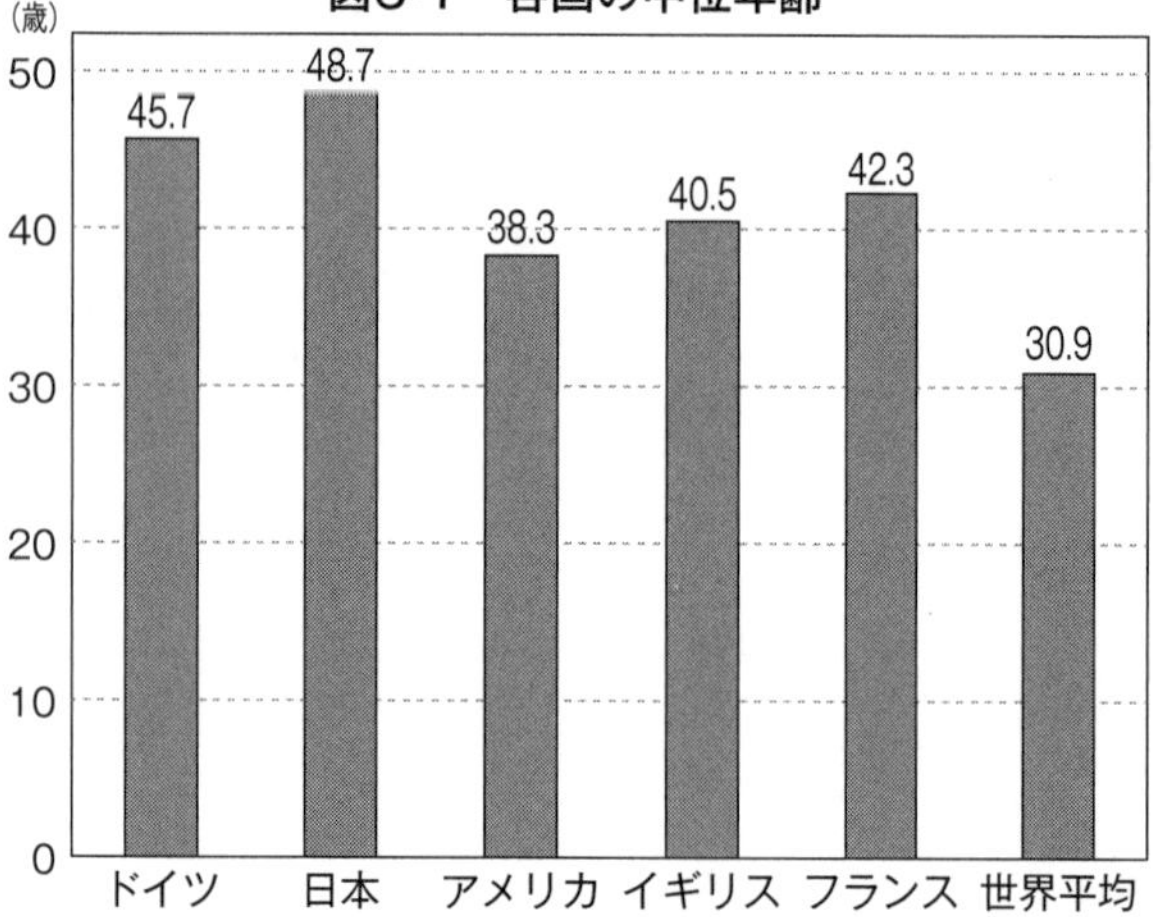

出典：UN, World Population Prospects: The 2019 Revision　（いずれも2020年の予測）

リスで四〇・五歳、フランスは四二・三歳です（図6―1）。

日本は移民の大規模な活用を拒否し、国力の低下を食い止める闘いを諦めてしまいました。ところが、ドイツは世界で最も年老いた二つの国のうちの一つでありながら、前述したように経済力については全く諦めていません。

ドイツにやってきている難民については、フランスのメディアでよく言われるように、メルケル首相が歴史的な責任を果たしているわけではありません。メルケルの移民政策は、一九六〇年代からの政策と、全く同じ路線上にあります。この間、ドイツ人支配階級が考えていることは、いつも同じです。「労働力の若返り」です。

二〇一五年、ドイツは緊縮財政と予算収縮の政策によって、ギリシャ、イタリア、スペイン、ポルトガルの経済を破壊しました。世界中がドイツを糾弾《きゅうだん》していたまさにその時に刊行された「シュピーゲル」誌（ドイツの主要週刊誌）は傑作です。表紙に、ドイツが南欧の若者の新たな楽園として描かれていたのです。そしてそこに写っていた地中海沿岸部出身の、技能を持ち有能で幸せそうな若者たちはドイツの好調な経済に貢献するために呼び集められたのです。

フランス人はこういった側面を見ていません。自国に対する間違ったイメージのなかに生きているからです。私たちフランス人は、「我らがフランスこそ移民大国だ」と思い込んでいます。でもそれは、長い歴史を見ると、ごくわずかな期間のことにすぎないのです。実際、太古の昔から、移民と創造的な関係を築いてきたのはドイツなのです。例えばプロイセンは、フランスから逃れてきたユグノーを含む外国人たちによって築き上げられた国です。

そして戦後のドイツには、ユーゴスラビア、トルコ、そしてあらゆる東欧諸国から、大量に移民が流れ込み続けました。戦後ヨーロッパにおける移民大国は、フランスではなくドイツなのです。

東西ドイツは一九九〇年に統合されました。それ以来、ドイツは共産主義で疲弊していた国々を立ち直らせてきました。ドイツは東欧経済に秩序を取り戻し、東欧の労働力人口をドイツの産業システムに組み込みました。その結果、ドイツはユーロ圏内の西と南で競争相手を蹴散らして、ハイテク部門では中国、アメリカ、日本をはるかに凌《しの》ぎ、世界トップクラスの輸出国となりました。この全てを、高齢化した八三〇〇万人の国民の力でなしとげたのです。

少し考えてみればわかりますよね。そうです、ドイツはものすごい国なのです。並外れた組織力、効率、能力のある国です。この背景を理解した上で、ドイツが火をつけた今の「移民の波」を分析しなければなりません。同じような出来事は以前にもあったのですから。

「ドイツ帝国」の活力であり、アキレス腱でもある移民

今や、フランスは歴史の中心にある国ではないのです。

マルクスとともに『資本論』などを著したフリードリヒ・エンゲルスが一八四八年の革命の時代に用いたコンセプトがあります。チェコ人に対して語った「歴史なき民」というものです。それは自ら蜂起《ほうき》して歴史を形成したハンガリー人やポーランド人の対極にチェコ人を位置づけたものでした。

現在は、フランス人がこの「歴史なき民」だと言えるでしょう。私たちは今、世界の歴史が大きく変わりうる潮目《しおめ》に立ち会っています。アメリカではトランプやサンダースが台頭し、ロシアは巧妙に中東でのプレゼンスを取り戻しました。そしてドイツの選択などを含め、世界は今、大きな節目を迎えているのです。

ドイツ人には、これから厳しい現実がのしかかるでしょう。彼らにとって、東欧の人々を吸収することは簡単でした。なぜなら、ドイツ国家の民族は単一であったためしがなく、国民の大部分は常にゲルマン系スラブ人で構成されていたからです。でもこれからは、話が完全に変わってきます。今ドイツに押し寄せているのは、全く別種の移民なのです。

実は、トルコ人を受け入れた時に、すでに歯車が嚙み合わなくなっていました。それは、彼らがイスラム教徒だからではありません。フランスでは多くの人がそう煽《あお》りたがりますがね。そうではなくて、トルコ人の家族構造が父系制、つまり非常に男性優位であり、さらに、内婚制（いとこ婚）であることが原因なのです。人口学においては、これが重要なポイントです。地中海の南岸・東岸の人々は、いとこ同士で結婚します。この伝統は、家族システムを内部で完結させるように働きます。

つまり問題は、彼らがイスラム教かどうかではなく、彼らの家族構造が、いとこ同士の結婚率が常に一％を切っている私たちの外婚制文化からいかにかけ離れているか、ということなのです。

いとこ婚率はスンニ派シリア人で三五％ですが、アサド大統領の支持者層のアラウィー派では一九％です。イラク人で三六～三七％。リビア人については信用できる統計がありませんが、とにかくこうして全体を見てみると、いとこ婚率は高いのです。シリアやイラクで多くの難民が発生しましたが、これは始まりでしかありません。サウジアラビアも崩壊しつつあります。これらの国から、同族婚の伝統を持つ何百万という難民が流出してくるのです。

ドイツのような年老いた国が彼らを受け入れるのは、とてつもなく困難な挑戦だと思います。

こんなにも多くの、こんなにも文化が違う人々を、これほど急速なスピードで、社会に組み込みコントロールするとなると、ドイツの階層化、硬直化はどうしても進むでしょう。移民受け入れの代償として、ドイツは警察社会あるいは軍事社会へと変わっていくかもしれません。

移民問題について私が一九九四年に書いた『移民の運命』（邦訳は一九九九年、藤原書店）は楽観的な内容でしたが、現実的な側面もありました。文化の違いとそのリスクについて、私はすでに九〇年代半ばにかなり容赦ない分析をし、同化のコンセプトに戻る必要性を説いたのでした。

移民というのは簡単な問題ではありません。最終的には全ての人々が同化されるということがわかっていたとしても、です。私は、「全ての移民を受け入れることが道義的に最重要事項であり、断固として実行されるべきだ」などと語ったことはありませんし、欧州の人々の正当な権利である、最低限の領土の安全の保障をなおざりにして良いとも思いません。こんな抽象的な道徳を振りかざすのは無責任な態度です。

最後に、「ドイツ帝国」のもう一つの脆弱性についても指摘しておきましょう。不安定さの外的要因としては、まずアメリカが挙げられるでしょう。現在、アメリカ自身がその地政学的構想を練り直しているフェーズにあります。アメリカの敵としては、経済的にも地政学的にも中国が筆頭に挙げられますが、トランプが何かにつけて敵視するもう一つの国がドイツなのです。

アメリカはドイツの統合を認めた時点で、大きな戦略ミスをしました。ドイツ人たちを見くびっていたと言って良いでしょう。アメリカにとって、ほどよくバランスが取れ、しかし実際はまとまりも権力もない形としてのヨーロッパは容認できましたが、ドイツ帝国化したヨーロッパは目障りでしかないのです。未知数ですが、もしかしたらアメリカが「ドイツ帝国」システムの崩壊を招く可能性もあります。

フランス社会の階級化がもたらした反移民・テロ問題

フランスの話に戻りましょう。

移民が移住国へ同化する第一の必要条件は、経済が好調で、よく働けば上に行けるという社会が正常に機能していることです。ですが無残にも、フランスはこれに失敗しました。

　私がかつて描いたモデルは、もしもフランスがユーロ圏内で自爆することなく、成長率もゼロに落とさず、あらゆる社会階層が硬直化してしまわない社会であれば、理にかなった現実的なものでした。しかし、現実はその逆の展開となり、フランスは国民が同化するための最大の好機を逸しました。せっかく諸外国と良好な関係を結びつつ、国内は身体的な外見の違いにこだわらない社会だったのに！　でもそれが現実です。フランスが経済的に停滞している限り、事態は泥沼のままでしょう。

　それは郊外ではイスラム主義の形を取りますが、それは単に、郊外にはイスラム系フランス人が多く住んでいるというだけのことです。

　二〇一五年、パリで死者一三〇名を出した同時多発テロ事件が起きました。こうしたテロを生み出した事態の過激化について、フランスでは解釈が分かれました。政治学者オリヴィエ・ロワが説くように、イスラム主義は問題の表層にすぎず、放置されてきた若者の一部が過激化するきっかけの一つでしかない、という見解があります。一方で、政治学者のジル・ケペルが主張するように、そうした分析はイスラム主義の我が国への浸透と、宗教そのものの強烈な吸引力を矮小《わいしょう》化している、という考えもあります。

私は前者の意見に賛成です。彼らは、自分が何について論じているかわかっている、真面目な人たちです。一方、後者の人たち、つまり政府や視野の狭いイスラム専門家たちは、マホメットの風刺画をかざし、ライシテ（政教分離の原則）を叫ぶことでフランス国家を治めようとしますが、彼らは、フランス内部からの凄まじい怒りにぶち当たりました。それは農民の絶望、あるいは労働法改正案[注2]に反対をした若者たちの怒りという形で表出したのです。

この「怒り」を前に、私はむしろ安心しました。ようやく本当の問題が何なのか、人々が認識できたということなのですから。もちろん、イスラム主義のテロは重大な問題です。ですが、危機に陥った社会をきちんと治めるには、一歩下がる必要があります。テロを巡るドラマは大きな悲劇のほんの一部にすぎない、そう理解せねばなりません。

フランスはもう独自の通貨を持たず、独自の経済政策も取れないため、社会は麻痺《まひ》してしまっています。

だから、今の政治論争は全て茶番です。大統領選になると、候補者は誰もが「私は違う政治をやる！」と言いますが、ユーロ圏内においては、ベルリンからの指令、つまりドイツの意向に従うほかないとわかっているのです。

いや、わかってすらいないかもしれません。元首相のアラン・ジュペが、七〇歳にして「フランス政界の若き希望の星」と称されたくらいですから（笑）。余談ですが、彼と一九八八年に論議した時に、びっくり仰天したことがありました。たしか当時、彼は予算関連の大臣を経験していたはずですが、ケインズ経済学による分析を拒否し、あるいはそれに対して知らないふりをしようとしていたのですから。

そういうわけで、これから私たちには「素晴らしき時代」が約束されているわけです。フランスは「眠れる国の美女」のような状態に陥っているのです。私たちの問題を、（テロを起こしたと言われる）北アフリカ系の若者たちに限定すべきではありません。彼らは道を見失って非行に走ることもありますが、テロリストになるのはごくごく一部です。

二〇一五年一一月のおぞましいテロの時、私が最も悲しい思いをしたのは、支配階級とメディアがたれ流したフランスの若者のイメージを見た時でした。一方では頭が狂っていて、野蛮で、骨の髄《ずい》までイスラム主義化したテロリストとなった若者たち。もう一方では、とても明るく、完璧なまでに健《すこ》やかで喜びに満ち、ビストロのテラスでビールグラスを傾ける若者たち。

　ところが今日統計から見えてくることは、若者たちが社会人となることがいかに困難であるかということです。彼らの収入は低下し、就職率は惨《みじ》めなほど低く、インターンという名の下で低賃金あるいは無償で働かされているのです。フランスで若者である、ということは、テラスで呑気《のんき》にビールを飲んでいるというだけではないのです。そんなビジョンは、年老いた層によるひどく偏ったものです。彼らからしてみたら、若いというのはただただ素晴らしいことなのです。

　フランスの根本的な問題は、社会的に落ちこぼれた一部の若者の残忍な行動だけではないのです。私たちが、弱り続けている若者たちを社会に取り込めなくなっていることこそが問題なのです。こうしたことを指摘して二〇一五年春に発刊した自著『シャルリとは誰か?』で、私はフランス社会から非国民に認定されてしまいましたが、この本で指摘した選択肢は今も有効です。「なんちゃって宗教問題」にばかり頭を突っ込んだまま、イスラムだのライシテだのと騒ぎ続けるのか、それとも、経済や社会が抱える本当の問題と、国家機能全体の停滞に向き合うのか。どちらを選ぶのか、フランス人は依然として答えを出せていません。

フランスの中産階級は無能になった

先ほど述べたように、『シャルリとは誰か？』は激しい論争を引き起こしました。それ以来、フランスでは一年ほど発言を控えた時期もありました。私はあの本で、イスラム系同胞たちが魂の平和を保つ権利を守りたかったのです。あの本を出版したことは、私の生涯で最も誇れる行為の一つであり続けるでしょうし、もしかしたら私の人間としての存在証明であったかもしれません。

この著書がなぜフランスでこんなにも騒がれたのか——簡単なことです。私は、フランスを支配する階級の責任を問い、当時の大統領・オランドを無能だと言い放ち、社会主義政策は凡庸《ぼんよう》な集団詐欺以外の何物でもなかったと、あれから誰もが考えたことを提示しましたが、それだけではありません。

私が書いたのは、フランスの中産階級が無能だということです。私は、私自身も所属するある階層のフランス人たちを告発したのです。そのことの方が、よほど問題なのです。私は、「今日のフランスの中産階級は、もはやフランス革命の継承者ではない」とはっきり書きました。

彼らは、自由と平等を信ずる革命の申し子ではありませんし、こうした理念など忘れ去ってしまっているのです。もちろん、私の書いたことはものすごい衝撃をもたらしました。なにしろ真実なのですから。

誰もがみな、愚かなエリート政治家たちを隠れ蓑《みの》にしています。ですが、オランド大統領（当時）はある意味で虚構なのです。彼は小さな声で何か言ったりしますが、何の決断も下しません。要するにオランドなど存在しないのです。オランドとは神話です。あるいは集合的な幻想にすぎません。人々は、オランドを嘲《あざけ》ることで、自分自身について判断することから逃げているのです。そうすれば、こう口にせずにすむからです。

「私は歳をとりつつある中流階級のフランス人で、まだまだ素晴らしい経済的な特権も持っている。国のお金のおかげで子供たちを安心して育て上げることもできた。でもこれからの若者たちには勝手になんとかしてくれと思う。郊外か刑務所で腐るなり、あるいは少しお利口さんなら、せいぜいくだらない仕事に精を出してくれ、と」

これこそが、『シャルリとは誰か?』の重要な、そして過激な部分です。そして、このように私が指摘した問題は、今でも手つかずのままなのです。

注1：OECDの二〇二〇年統計より。
注2：二〇一六年三月、オランド政権下で労働法改正案を巡って起きた数十万人規模のデモ。

第7章 アメリカ社会の変質と冷戦後の世界

文化的ゲットーの出現

ここまで、先進国で起きている教育格差の問題を様々な地域ごとに考察してきました。本章では、アメリカにおけるエリートと大衆の分断について見てみましょう。

二〇一六年のトランプ大統領の誕生は、エリートと大衆の分断を露わにし、世界中に衝撃が走りました。本書で何度も述べたように、エリートと民衆の根本的な分離の最初の原因は、高等教育の発展によって生じた教育格差にあります。第二次世界大戦直後、西洋の民主主義国家では、皆が初等教育を受けられる状況にありました。アメリカではすでに中等教育も受けられる状況になっていました。社会は全体的に均質で、高等教育を受けたと言って自慢できる人たちはほんの一握りでした。それから私たちは各世代の三〇〜四〇%が高等教育を受ける時代に突入しました。そして高等教育を受けた人々は彼らだけで社会集団を形成し、その中だけでも生きていけるようになったのです。そこでは一種の内爆のような現象が起き、彼らは民主主義の中にいると言い張りつつ、自分たちの集団こそが社会の上層部なのだという認識を持っています。この現象は普遍的で、これこそが冒頭に述べた分離の真の要因なのです。

ただし、これはもちろん全世界で同時に起きた現象ではありません。例えばアメリカではこの社会集団が熟期に達したのは一九六五年でした。一方でフランスでは三〇年の遅れがあり、一九九五年に同様の状態になりました。教育レベルが異なる人々は、もはやお互いのことを知りません。上層部にいる人々は文化的ゲットーとも呼べるような場所でそうとは知らずに暮らしているのです。

例えばフランスではシネマ・アンティミストと呼ばれる、内面的な部分にフォーカスをした映画のジャンルが出現しました。このジャンルは経済のグローバル化の残酷さからは切り離されたブルジョワたちの悩み事を描きます。もちろんこの上層部の人々が発信する文化にも良いものはたくさんあります。環境問題への関心、クラシック音楽や流行音楽のフェスティバル、印象派や表現主義の画家たちの展覧会、全ての人の結婚の権利を訴えた「Mariage pour tous」運動など、素晴らしいことばかりです。しかし一方で、全く別の心配事を抱えている人々もいるのです。彼らはとにかく経済的に日々生き延びることを考え、高等教育を受けなかった人々です。これはクリストファー・ラッシュの著作『エリートの反逆——現代民主主義の病い』（新曜社）の分析と重なる部分があります。

しかしながら、ラッシュを始め、エリートたちを告発し、民衆こそが特別な資質を持っているという人々の主張には私は同意できません。一時期そう思っていた時もあるのですが、今は違います。エリートが民衆を裏切っている、それはその通りです。さらに、エリート層の中には集団内部の順応主義によって引き起こされた愚かさが蔓延《まんえん》していると思っています。要するに集団的な知性の自己崩壊が起きているのです。

しかし、だからと言って民衆の方が本質的に良い、というふうには思わなくなりました。民衆の方が教育レベルは低く、運も悪い、だからこそ彼らは道徳的には上だ、という考えはおかしいのです。これは器用に見えて平等の原理の歪みです。平等の原理に賛同するというのは、エリートと民衆の双方を同時に批判できるということです。そしてこれは特に昨今のような状況においては非常に大切です。外国人嫌いでポピュリストで極右政党のルペンに票を投じる人々と、ユーロを生み出した愚かなエリートという単純な二項対立の罠から逃れるためにも必要な考え方なのです。知性においても、道徳においても粗末になってしまったフランス社会の全体を糾弾するべきなのです。

なぜトランプ当選を予言できたのか

二〇〇八年、ホワイトハウスでバラク・オバマという黒人大統領が誕生したことを左派の全体が祝福していた時、私はこのシンボルに対して懐疑的だった稀《まれ》な人物の一人です。なぜなら、オバマは経済的なプログラムを示していなかったからです。

その後、二〇一六年のアメリカ大統領選では、予備選挙の時点でのバーニー・サンダースの民主党における爆発的な人気、そしてトランプの当選という出来事が起きました。「これはオバマの失敗を反映しているためか？」と聞かれることがありますが、私は両者の躍進はアメリカ社会の芯の部分の気質が変わったことによるものだと思います。それは白人層の芯のことです。なぜかと言うとアメリカの民主主義は白人たちによって生み出されたものだからです。

私は昔から確信していることがあります。それは、アングロ・サクソン系の人々はそもそも平等主義とはあまり相容れない気質を持っているからこそ、アメリカの民主主義的な精神がネイティヴ・アメリカンと黒人の排斥に密接に関連しているのだということです。そもそも有権者の七二%が白人である、というのがアメリカの社会なのです。二〇〇七〜〇八年の経済危機の際にオバマが取った救済措置は確かに高く評価できるものでした。しかし、彼はワシントン・コンセンサス[注1]の基礎である自由貿易と資本の流通の自由化については再検討をしませんでした。つまり、アメリカの大衆層と中流層の人々の生活水準と安全を悪化させるメカニズムは見直されなかったのです。一九五〇年代、アメリカの中流層の人々は労働者たちのことを理解していました。しかしその後、グローバル化が進むことによって労働者たちは「再プロレタリアート化」され、中流層も危機に陥ったのです。そうして、二〇一六年に反逆の動きが起きたのです。

自著『経済幻想』でも私は自由貿易を糾弾しているのですが、まず私が関心を持ったのは自由貿易の再検討で、これはトランプとサンダースの共通点でした。この二人が共に保護主義を掲げているからこそ、アメリカ社会の根底の変革はもう目の前に迫ってきていると断言できるのです。トランプ現象は本当に信じがたいものです。まず予備選挙でトランプは共和党をめちゃくちゃにし、次に民主党もめちゃくちゃにしたのですから。

しかし、私はその頃広く拡散された人口統計調査を踏まえた上で、トランプが当選する可能性はあると最後まで信じていたのです。「ニューヨーク・タイムズ」か「ワシントン・ポスト」にこのデータが掲載されていたのを見たわけですが、それはアメリカの四五〜五四歳の白人死亡率が一九九九年から二〇一三年の間で上昇したというものでした。アメリカ人たちにとって、もはや自由貿易を手放しに褒《ほ》め称える時代は終わりました。そして彼らはそれをすっかり理解したのです。物事を理解するためには、トランプではなく、トランプ支持者たちにまず目を向けるべきなのです。有権者たちは怒りを露わにしました。また、白人に限定した上でですが、アメリカはフランスの民主主義よりも強い民主主義の伝統を持っていることを忘れてはなりません。

二〇一六年の大統領選において、五八％の白人たちはトランプに投じ、民主党候補のヒラリー・クリントンに投じた白人は三七％でした。また非白人のうち七四％がクリントンに入れました。このことによって、「オバマ大統領によって終結を迎えたと思われた人種間の分離がトランプの当選によって再来したのではないか」と言う人もいましたが、私はそうは思いません。もちろん人種問題は常に疼《うず》く傷のようにそこにあり、消えてなどいません。さらに言えば、ここで頭に入れておくべきことは、黒人の状況とヒスパニック系の状況は全く異なるものだということです。黒人はいまだにゲットー化され、ヒスパニック系の人々は貧しいですが同化に向かっています。民主党はマイノリティを一つの全体として語りますが、実際はこのように状況は大きく異なるのです。

前回の大統領選と同様、黒人は大半が民主党に投票しました（八九％）。しかし、棄権率もとても高かったのです。なぜならばクリントン候補は、人種問題についてはオバマ前大統領に比べて割と両義的立場だったからです。ニクソン以降、レーガンで頂点に達したアメリカ政治とは、共和党が「白人党」となり、人種差別撤退政策とアファーマティブアクションに抵抗し続けることで大成功を収めたという歴史に特徴づけられています。共和党はドッグホイッスル・ポリティクスというテクニックを編み出し、一部の層にだけ訴えかけてきました。このテクニックを使い、例えば黒人層のみに使われているとして生活保護の廃止を白人の有権者たちに訴えました。そうすることで実は共和党は自らの有権者に不利な経済政策、例えば富裕層の税金引き下げを実施し、さらに自由貿易で白人労働者層を破滅に追いやってきたのです。

トランプはこのドッグホイッスル・ポリティクスとは真逆の立場にいると言えます。彼は二種類の論を展開しました。一つ目はメキシコを敵視した外国人嫌いのディスクール（言説）です。これは自国にすでにいる黒人たちには向けられていません。そしてもう一つはマルクス主義とも思えるほどの経済的なイシューに関するディスクールです。

私からしてみたらトランプは、伝統的な共和党の人種主義とは逆の立場にいる人物です。彼は議論を経済面で展開したからです。一方で対立する民主党は人種問題に関して、「皆こう考えるべきだ」という態度でたゆまずそれを話題にし、民主党こそが黒人たちを守ると主張し、このようなグループに所属するのであればこのように投票すべきだということを説き続けてきたのです。トランプは経済のテーマを持ち出すことで、それまでは人種的なことに基盤をおいてきた共和党をめちゃくちゃにし、その間、民主党は人種問題については非常に平凡な立場を変えなかったのです。

トランプは本当に保護主義者か

保護主義とは国家による規制の一種ですが、市場に悪影響を与えるような規制のテクニックではありません。それは資本主義かつリベラルであり続けるべき市場に限度を設けるというものです。保護主義の古典的な理論上では、自国の内部を自由化しながらも外部に対しては自国を保護するという手法は矛盾しないのです。

形式化してみると、アメリカには二つの勢力が対立していると言えます。国家を優先する政党とグローバル主義の政党です。国家を優先する政党は国境を保護することに特徴づけられます。そこではモノや人の移動から国境を守ることが優先され、同時にかなりの度合いで外国人嫌いの要素も含んでいます。ただしそれは決して市場に対して悪影響を与えるものではなく、利益を生み出す内部の資本主義を推し進めることが唯一の目的なのです。要するにこの政党によれば、企業は別の方法で金儲けができるというわけです。

それに対して、グローバル主義の政党は、国境は開放するべきという立場です。その方法は多くの被害と不平等を生み出す、と経済理論によって警告されたとしても、彼らはグローバル主義が機能するという主張を変えません。全ては再分配と生活保護によって埋め合わせができると言うのです。

私は以前、フリードリヒ・リストが著した、保護主義に関する古典とも言われる書籍のまえがきを担当しました。そこで保護主義は自由主義の一種でしかないことを説明しました。マルクスはリストが大嫌いでした。私はラジオ番組の中で、全く無知な人に「あなたはフランスを北朝鮮にしたいのか」と言われたこともあります。このような人々は、保護主義というのは国家管理主義の一部だと思っているのです。もちろんここではまるでトランプとトランプ政権の人間たちが明確な意志を持ってこれらを実践しているかのように話してきましたが、実際はそうではありません。ここで私が言いたかったのは、保護主義的自由主義のウェーバー的な理想形なのです。

現時点で重要なことは、低賃金の労働者によって生産された商品が国外から流入することに対して、自らを守ることなのです。税関障壁が三〇～四〇％で保護されている経済圏。これはアメリカの伝統とも呼べるもので、私の記憶が正しければ一九一四年の第一次世界大戦以前から続いているはずです。そしてここでは国内の規制がより自由化されても、経済は別の規制下に置かれるのです。また、そこでは労働者とエンジニアたちが再び必要とされます。もちろん資本主義の原則がありますから、金儲けをしたいという人々はいます。ただ、そのような人々は異なる方法を模索しなければいけないだけです。マルクス主義的なアプローチに固執し、お金の権力を打倒して、できれば資本も廃止したいということでは、結果的に問題の本質には届かないままでしょう。大切なのは、国家の経済圏内で人々が豊かになれ、皆が利益を得られる方法が何かを考えることでしょう。

自由貿易の弊害がアメリカ人の気質を変えた

これまで私はアングロ・サクソンの地域圏のネオリベラリズムへの傾倒というのは、平等への無関心が基盤にあることが原因だろうと諦めて受け入れてきました。アングロ・サクソン系の国々がグローバル化と不平等の拡大を受け入れてきたのは、核家族と個人主義的な家族構造によるもので、人々が平等という価値観に無関心であるからと考えていたのです。

というのも全体的には私の人類学的枠組みは割とうまく機能しているからです。例えば平等主義であり、権威主義が基盤となっている共同体家族によって生み出された共産主義は、ロシアの歴史を非常にうまく説明してくれます。また、絶対核家族はアングロ・サクソン系のリベラル主義のモデルに加えて資本主義の発展も説明してくれます。平等の理想に対してアメリカやイギリスが割と無関心であるという点は、これらの地域で資本主義が円滑《えんかつ》に機能する理由を説明してくれますし、そこでは一定の人のみが利益を得ることに関して人々があまり驚かないという点も説明できるのです。

しかし二〇〇〇年から二〇一五年の間に、私たちはこのモデルの限界に達したと思います。もちろん人は人類学的に決定された枠組みを超越することもできますが、それは苦しみを伴うもので、ある程度までに限られます。そういうわけで、死亡率の増加というデータは一種の警告という役割を果たし、私が自ら構築したモデルから抜け出すきっかけを作り出したのです。トランプが当選する可能性がある、と考えた時というのは、私自身の人類学的モデルが不完全であることを自ら認めた瞬間でもあったのです。

とはいえ、共産主義の崩壊の時にも同じことが起きました。私の人類学的モデルによれば、ロシアの共同体主義の伝統は共産主義の出現をうまく説明するものです。しかし自由主義がアメリカ社会に過剰な苦しみを強《し》いるようになり、最終的には二〇一六年の反乱に至ったのと同様に、共産主義は一九七五年頃にはすでに不条理な状態に達しており、乳児死亡率も増加し、最終的には一九九〇年に崩壊したのです。

ただし、ロシアのその後の歴史が語っているように、このような急激な変化というのは経済システムの変化はもたらしますが、一方で人々は自分たちの文化から完全に抜け出すわけではないのです。私はロシアにも民主主義があると思いますが、ロシア人の八〇%がプーチンに票を入れます。これは一種の権威的な民主主義です。同時に社会の機能の仕方は昔からの共同体的な伝統を保持し続けています。昨今はアメリカのシステムも再編を試みていますが、平等ではないリベラルな特徴という本質は残り続けるでしょう。私が先ほど述べた、国内資本主義を機能させるための保護主義というのは、まさしくこのようなことなのです。

もはやアメリカにおける（家族構造の）崩壊は終わっているのです。アメリカは一九六〇年以降、離婚率の上昇や婚外子の増加など不安定なフェーズと文化危機の時代を渡ってきました。そもそもピルを発明したのはアメリカでした。そしてこのような危機の時代によって、凄まじい勢いで殺人率が上昇しました。一九九五年以降のこうした全ての変数を再検討した結果明らかになるだろうことは、慣習の側面でアメリカは再び安定期に入っているということです。アメリカ社会の奥底では再び安定への道を歩み始めているのです。

報道を見る限り、フランスではトランプに関して大騒ぎをしています。「トランプは狂っている！」という言葉の裏から理解せねばならないのは、「私たちの社会にとって」アメリカは狂っているということです。それは幻想でしかありません。現在、アメリカは合理的で分別を持った国なのです。私はトランプ票に関してまず経済的な合理性があると言いました。そしてさらに付け加えたいのは、慣習という意味でアメリカは再び安定を見出しつつあるという点です。アメリカというのは、経済的な苦しみはもちろんあるのですが、トランプ大統領を当選させ、道徳的な安定を見出しつつある国なのです。

トランプ大統領は「文明の衝突」をよみがえらせるか

もちろん、トランプによるアイデンティティに関する議論は、私のような出自の者にとっては許し難いものです。しかし国内政治、また国際政治におけるトランプとその取り巻きの合理性も忘れてはならないのです。ここで私たちは知的な努力を試みなければいけません。なぜならば、トランプがひどい言葉を吐くため、対立する者にとって彼は狂っていると見られますが、その言葉の裏には思惑があるのです。（脱工業化が進む）ラストベルトとペンシルバニアで当選前から明白だったトランプの勝利は、ある種の合理性を見せているのです。

国際政治において、彼の狂気について多くのコメンテーターたちが語っています。トランプは中国、ドイツ、そしてドイツの権威を保つためのツールと化しているEU（トランプがある意味正しく理解している点です）を攻撃している。そしてトランプは戦争へと向かっていると……。しかし保護主義の観点から見ると、これは当然のことだとわかります。なぜならば中国とドイツこそ、経済的な競合相手としてアメリカにとって目障りな存在だからです。第一、アメリカよりもドイツの方が大西洋横断貿易投資パートナーシップ協定（TTIP）には積極的でした。ドイツと中国は自由貿易の強烈な推進派で、それは中国がドイツに対して提案したばかげた自由貿易同盟からもわかるでしょう。

確かにトランプはイスラム文化やムスリムに対して敵意を剝《む》き出しにしています。私はトランプの合理性についていろいろと語ってきましたが、イランに対する敵対心というのは大げさで全く理にかなっていないということは認めます。これはもしかするとアメリカ国内の有権者間に混乱を招くための策略なのかもしれません。一般的な原則に沿って考えてみましょう。実際、「国家へ戻る」というトランプが推進する考え方は、諸問題を「脱・普遍化」することを伴います。そしてこれはイスラムに関することも同様で、最終的にイスラムの一連の問題の脱・普遍化を可能にするはずなのです。国家へ戻るというのは、権力を失うことと同じではありません。それは政治が分化されることを意味し、また、一般化を推し進めるような政治ではなくなることを意味するのです。

私が間違っている可能性ももちろんあります。しかし、今のところトランプの根本的な政治軸にはイスラムのみが世界の唯一の敵である、というような普遍主義的視点はないと思います。そもそもそれは国家的なものへの回帰とは矛盾するからです。これまであまり考えてこなかった点ではありますが、現時点ではもしかしたらこんなことが言えるかもしれません。トランプは同時に普遍主義的かつ脱・普遍主義的であることは不可能だということです。むしろグローバル化推進派たちによって全ての問題は普遍化されてきましたし、そこにイスラムの問題も含まれます。国家的利己主義とも呼ばれるものにはそれなりの利点もあるということです。

冷戦後の世界を俯瞰する

ここからはアメリカの地政学的変化を見ていきましょう。二〇一九年はベルリンの壁崩壊から三〇周年の年でした。この三〇年で特筆すべきことは、結果的に地政学上の構図にほぼ変化が見られないという点です。今でもロシアと中国というブロックが存在しています。ちょっとした変化としては、それまでは西洋ブロックに所属していたイランがロシア・中国のブロックに新たに加わった点です。また周辺国では例えばベトナムは中国を脅威と見るようになり、アメリカに接近しました。しかしながら全体を見渡した時、戦略的な同盟関係においては大きな変化は見られないのです。それにはもちろん理由があります。

まず、中国は今その力を高めている勢力で、アメリカを対抗相手と見ています。ロシアは特殊な軍事力を保持しているため、核危機が訪れた際には中国はロシアを通すことでアメリ力に反撃できます。ただ、これらの力関係というのは、それよりももっと重要な経済的な関係性とは大きくずれたものなのです。経済面で考えると、物事は大きく変化しました。

アメリカが敵視している国はまず中国。なぜならばアメリカにとって中国は、経済的にも戦略的にも、そして思想的にも我慢ならない相手になったからです。中国は、経済的には輸出に頼らざるをえないなど脆弱な側面がありつつも、今、新しいタイプの全体主義を作り出しています。そして、その全てがアメリカの価値観と真っ向から対立するものなのです。ロシアは軍事力では中国より優位ではありますが、日本より多少人口が多いだけのこの国は、自国の領土を管理するのに苦労しています。また、人口学的な視点から考えると、アメリカよりも中国を脅威と感じているはずです。

そして次にアメリカは、彼らがヨーロッパの統制を失ってしまった理由の一つであるドイツも敵対視しています。アメリカがドイツに世界経済活性化のために責任を取って欲しいと要請をするたびにドイツは拒否します。ドイツはもはやアメリカに従わなくなっているのです。アメリカはドイツの力を完全に甘く見ていたため、共産主義からの脱却の際に失敗しました。対ロシアという名目の元でNATOの拡大をすることで、アメリカは永続的な形で覇権国家になれると思っていました。しかしながら、結果的にはヨーロッパ圏でドイツが力をつけ、ヨーロッパ自体がアメリカの統制下から出てしまったのです。今やヨーロッパはドイツに主導権を握られているのです。そもそもアメリカ帝国というのは、第二次世界大戦の敗戦国である日本とドイツを統制下に置くことでしたが、そういう意味ではアメリカは帝国の半分を失くしてしまったと言えるでしょう。日本は中国という脅威があるために、まだアメリカの傘下に留まっているわけです。

とはいえ、日本とアメリカの力関係も変化したと私は見ています。ヨーロッパでの潮流や中国の台頭により、アメリカの立場は弱くなっています。そんな中で、今までなかったほどにアメリカが日本を必要としているという状況があると思うのです。アメリカに対する日本の交渉力は近年高まったと私は見ているのですが、この点に関しては大して誰も関心を払っていません。この期《ご》に及んでもまだ、西洋ブロックとユーラシアブロックがあると認識されているのです。

米中覇権戦争が持つ三つの側面

トランプ自身の政治方針は自国に集中することが基本です。しかしクリントン派たちはすでに多くの手段を失っているにもかかわらず、アメリカ帝国が世界を制しているというビジョンを持ち続けています。これらの流れで、結果的に中国に対してはトランプがエスタブリッシュメントを得ることに成功しているのです。南シナ海での一件[注2]以降、アメリカは少し中国を恐れ始めていると言えます。

中国とアメリカの間で起きているのは単なる貿易戦争ではありません。トランプが大統領に当選した一つの理由は、アメリカの労働者たちが中国との競争に苦しんでいるからということもありますが、中国が地政学的な側面においても非常に攻撃的になってきているという点にも注目すべきでしょう。そしてこの紛争は三つの側面を持っています。一つ目は貿易、二つ目が軍事、そして三つ目が文明です。なぜならば、全体主義で警察によって監視されている中国は民主主義を脅《おびや》かす存在と見なされているからです。

問題は貿易戦争以上のものであり、むしろ地政学的な問題でしょう。世界一位のアメリカが中国にその地位を乗っとられるのをただ待っているわけがありません。これは良い悪いといった問題ではなく現実なのです。さらに注目すべき点は、中国が最大の力を得るためにはロシアの軍事力を必要としている点です。中国はロシアの防衛システムを手にすることで南シナ海での活動が可能になります。そんな中、現在アメリカはロシアと中国、両国と紛争状態にあるのです。もしアメリカが本当に中国の脅威と向き合いたいのであれば、ロシアに対する態度を変える必要があるでしょう。そしてロシアと接近することで中国の潜在軍事力を大きく弱めることが可能になります。

アメリカとロシアが手を組む可能性

昔、フランスはオーストリア帝国への対抗策として、プロイセンと同盟を組んでいました。しかしそこで同盟関係の反転が起きます。フランスはオーストリアと、プロイセンはイギリスと同盟を組むのです。そして七年戦争に突入し、フランスは敗戦します。

　このように歴史においてはある時突然、戦略的な変化が訪れることがあります。キッシンジャーとニクソンが共産主義圏を壊すために中国に歩み寄ったことなどもそういう例の一つです。そして現在、どうもこの戦略的な構図が通常とは異なる様相を見せています。無責任で、経済的にも非現実路線を行く二つの権力が中国とドイツです。そして世界は、この構図の再編成への準備を整えたように見えます。そこではアメリカとロシアが世界平和を保つために同盟を組むでしょう。

　ここで興味深いことは、中東をこの新たな同盟に向けた一つの試験的な場所として見ることができるのではないかという点です。中東は常に鎮《しず》め難い紛争の地域として見られています。しかし、イスラム国（ＩＳ）との対立の中で、ロシアとアメリカがある程度ですが調和のとれた動きをしていました。もちろん全てがはっきりとしているわけではありません。ＮＡＴＯの一員であるトルコが、ロシアに軍事機材を頼むといった、不思議な事態が起こりました。アメリカはこうした動きを快く思ってはいませんが、だからと言ってＮＡＴＯからトルコを追い出すこともしません。それからイランとサウジアラビアの紛争もありますが、イランの方が安定した相手でしょう。様々な理由から、サウジアラビアは近々崩壊すると思います。

とにかく、いろいろ不可解な要素もあり、断言はできませんが、これから一〇年、二〇年で、本当の意味での冷戦の終結の可能性について検討するべきなのかもしれません。冷戦というのは、何よりもまずロシアとアメリカの対立でした。そんな二カ国が、いつか協力し合う関係になるというのが本当にありえないことなのか、今一度検討してみてもいいのかもしれません。もちろん、「ニューヨーク・タイムズ」や「ワシントン・ポスト」といった新聞を読む限り、それとは真逆の見方が一般的には展開されているのもよくわかっています。トランプはロシアやウクライナとの関係を持っていることで批判を浴びています。

「絶対値による会話分析法」とは何か――真実を見極めるための思考法

ここで私のとある思考方法を取り入れてみましょう。それは「人々が口にすることと全く反対の内容が、しばしば真実である」という考え方です。先ほど申し上げたように、ロシアはアメリカから敵として名指しされるという現状があります。しかし、長期的な視点から考えると、それはつまり「アメリカとロシアが良好な関係を築き、協力し合うことがもしかしたらいい解決法なのではないか」と人々が思い始めている証拠かもしれないのです。

私はこれを「絶対値による会話分析法」と呼びます。例えば、誰かがあなたに「これはいい」とか「これは悪い」などと言います。そうしたらそこに含まれるプラスあるいはマイナスの部分を省いてみてください。すると本当のテーマが現れます。会話の相手が本当に言いたいことはそこに見つかるはずなのです。

少々話が脇道にそれますが、私のこの思考法について、詳しく解説しましょう。まず「絶対値」とは何を指すのでしょうか。数字にはプラスかマイナスの記号がつくということを思い出してください。それを踏まえた上で考えてみます。人は、話をする時に、多くの場合、言葉やコンセプトにプラスかマイナスの価値をつけます。例えば「柔らかいキャラメルが大好き」「柔らかいキャラメルが大嫌い」という二つの意見があるとしましょう。ここでは「柔らかいキャラメル」が絶対値です。そして「大好き」「大嫌い」がプラスとマイナスの記号です。

ちなみにこの柔らかいキャラメルというのは、ベルギーの有名なマンガのキャラクター、

「タンタン」シリーズの『ふしぎな流れ星』に出てくる話です。ある人物がタンタン（主人公）に「柔らかいキャラメルは好きか」と唐突に問うシーンがあるのです。要するに人の会話の中には絶対値とプラスとマイナスの記号があるということです。

この分析法は、私がパリ政治学院にいた頃に、社会学の教授に要請され、内容分析をしながら学んだものです。内容分析では、例えば新聞や資料の中から、「アイテム」（＝絶対値）を取り出し、それがどの程度の頻度で現れるかを検証します。その際にプラスやマイナスという記号からアイテムを独立させます。つまりそのアイテムが「良いもの」として表現されているのか、あるいは「悪いもの」として表現されているのかという点とは切り離して着目するのです。

ここでもう一つ、例を挙げてみましょう。私が自分のインタビューが日本語に訳されたものを目にしたとします。私が日本語でわかるのは「日本」という二つの文字です。ですからインタビューの中で自分が日本についてどの程度話したのかを見ることはできます。あるいは「中国」という単語も知っているので、何回、中国という言葉を使ったかもわかります。

しかし、そこに「記号」はついていません。従って私がそれらの国についてどのような表現をしたのか、例えば褒め称えたのか、はたまた悪口を言ったのかについてはそれだけではわからないわけです。

これが内容分析です。これは日常生活においても、どんなことにでも使えるテクニックなのです。文書にとどまらず、会話でも分析できます。最も興味深い瞬間というのは、この「アイテム」が表出する時なのです。

もう一つ、身近な例を挙げます。例えば天気の話をしているとしましょう。そこで突然相手が「女性は大嫌いだ」と言ったとします。ここで「女性」というアイテムが現れます。そしてそのアイテムには「大嫌い」というマイナスの記号がついています。しかしこの「プラスかマイナスか」は、本当はどうでもいいことです。ここからわかることは、この人物が「女性」という存在に取り憑《つ》かれている、そればかり考えているということなのです。

これはとても効果的な分析法です。なぜなら大抵の場合、人は気がかりになっていることについて、真実とは逆の記号を付随させて表現するものだからです。

パンデミックが露わにした民主主義の危機

二〇二〇年に世界中で猛威を振るった、新型コロナウイルスによるパンデミックを例にとって見ましょう。フランス政府はこの医療危機に対応する中で、「民主的な形態を遵守《じゅんしゅ》すること」について語り続けました。実際に緊急事態という状況にあったため、様々な措置を講じる必要があり、その中で政府は「我々は民主的な規則を遵守すべきだ」「法の採択が必要だ」という話をし続けたのです。しかし、通常の安定した社会であったならば、政府は厳しいロックダウン（都市封鎖）といった策ではなく、もっと分別のある緊急事態措置を講じたでしょうし、そこで民主的な形態についてあえて議論をする必要などなかったはずなのです。

この「民主的な形態を遵守する」という、民主主義にプラスの記号がついた強迫観念のようなものから見えてくるのは、この国を統治している人たちが実は民主主義を解体してしまいたいという内なる願望を抱いているだろうということなのです。それまでは誰も民主主義が脅かされているなどとは感じていなかったのに、突然誰しもが「民主主義を守ろう」と言い出したとしたら、これは非常に疑わしいでしょう。つまり、民主主義を守るのと反対のことが行なわれようとしているということなのです。

民主主義は本来、医療危機という状況下でも問題にされることではないはずなのです。もし安定したシステムだったならば、人々はすぐに規則を守ったでしょうし、特に民主主義について執拗《しつよう》に強調する必要はなく、新たな法案を通す必要もなかったはずなのです。この法案は、医療危機が去った後にも残ってしまうような危険な法律であり、緊急採択されました。ただ、むしろ合法性を超えたところで一時的に緊急事態措置を講じることの方が、こうした法案を採択してしまうことよりも、民主主義にとってのリスクは低いのです。

私はこの分析法については、自分の子供たちにも伝えています。称賛や糾弾というようなプラスやマイナスの記号はまず無視して考えてみなさい、そして何が立ち現れるのかを見てみなさい、と。これはもしかしたら統計学的なメンタリティが必要なのかもしれません。頻度の問題でもあるからです。

要するに、新しい事象はよく真実とは反対の見かけで立ち現れるのです。これは私にとって重要な分析ツールです。

また、もし私が地政学を教えることになったとしたら、学生たちにまず、冷戦から引き継いだものではない対立関係に基づく、オルタナティブな国家間関係を考えるトレーニングをさせるでしょう。そうすることで、新しい見方が可能になるのです。

注1：ワシントンを本拠地とするＩＭＦ、世界銀行、アメリカ財務省との間で合意した政策を指す。新古典派経済学の思想に基づき、市場原理を重視した改革（貿易や資本の自由化、緊縮財政など）を実行することを、他国（主に発展途上国）への融資条件とする政策。

注2：中国が南シナ海に造成した人工島の軍事拠点化を進める中、アメリカは「航行の自由作戦」を強化。それを中国は挑発的行動と取っている事態を指す。

訳者あとがき・解説

エマニュエル・トッド氏はパリのソルボンヌ大学で歴史学を学び、その後、アナール学派の歴史学者として著名なエマニュエル・ル＝ロワ＝ラデュリの勧めもあったことからイギリスに渡り、ケンブリッジ大学に進学。歴史人口学者として著名なピーター・ラスレット氏のもとで博士論文を執筆。また、家族構造に関する人類学はアラン・マックファーレンからの影響を受けている。

彼の一連の著作で特筆すべきは、その「予言」の的確さである。イギリスからフランスに戻ったトッド氏は一九七六年、最初の著作『最後の転落―ソ連崩壊のシナリオ』を出版。その頃全盛期にあったソビエト連邦の崩壊を乳児死亡率のデータをもとに予言し、一躍有名になる。その後『第三惑星―家族構造とイデオロギー・システム』（八三年）と『世界の幼少期―家族構造と成長』（八四年）では家族構造と社会の上部構造の関係性を示し、この大胆な分析は大きな反響を呼んだ（この二冊は『世界の多様性――家族構造と近代性』として合本され、再版。二〇〇八年に藤原書店より邦訳発刊）。

『帝国以後』（二〇〇二年）ではアメリカの覇権の崩壊を予測。またさらに二〇〇七年にはユセフ・クルバージュとの共著でハンチントンの「文明の衝突」論に対して『文明の接近――「イスラームvs西洋」の虚構』を上梓。これはその後のアラブの春を予言した形になった。

二〇一六年には、アメリカにおける白人の死亡率の上昇から、当初誰もが予想していなかったトランプの大統領選勝利を予測。またも「予言」が的中する形となり、世間を驚かせた。

近年も活発に執筆活動を続けており、日本語未訳だが二〇一七年には『Où en sommes-nous ?』（我々はどこにいるのか）を、そして二〇二〇年には『Les Luttes de classes en France au XXIe siècle』（二十一世紀フランスの階級闘争）をいずれもフランスのSeuil社から出版している。

教育という重要なファクター

本書では主に高等教育の発展と、それがもたらすエリートと大衆の分断という切り口から、トッド氏がどのように世界を見つめているのかに迫った。

トッド氏が教育に関心を抱いたのは実は最近のことではない。すでに一九九八年に出版された『経済幻想』（邦訳は一九九九年）の中でも先進諸国における高等教育の発展について検討している。自身の研究基盤であるアナール学派の重要な分析ツールの一つが識字化であるため、その延長線上とも捉えることができる高等教育に着目するようになったのは、ごく自然な成り行きだったと言う。

本書に収録されている内容はトッド氏が「発言（intervention）」と呼ぶ部類のものだ。メディアに出たり、インタビューに答えたりして、社会問題や時事問題について意見を述べることをトッド氏は「発言」と呼ぶ。彼の論争家としての一面がこれに当たる。

一方で、例えば著書の『家族システムの起源』のように家族システムから考える社会の歴史やその心性史を扱う研究には長い時間がかかり、「発言」とは異なる努力が求められると言う。しかし彼のユニークな、そして刺激的な発想はこの二つの種類の思考があってこそ、だろう。

世相の本質を見抜く確かな目

インタビュー中、「マクロンが民主主義を壊す」とすら言い切るトッド氏の言葉には何度も面食らった。しかし、一見突拍子もないそうした見方が、実は膨大なデータと蓄積された知識から生まれるものであることが、取材を重ねるうちにはっきりと見えてきた。

私が初めてパリでトッド氏にインタビューを行なったのは二〇一七年のことである。ちょうどエマニュエル・マクロンが大統領になった年だったが、アメリカでは世界中の大きな驚きとともにトランプが大統領の座に就いた年でもあった。さらにこの前年、イギリスではEU離脱の是非を問う国民投票が行なわれ、まさかの離脱賛成派が多数という結果になっていた。トッド氏はフランス、アメリカ、イギリスを三大民主主義国と捉えるが、これらの民主主義国が別々の道を歩み始めたように見えていた時期だった。

一般的には「民主主義の後退」と言うと、ロシアや中国のような強権的な国や、トランプ大統領の誕生、ブレグジットを始めとしたポピュリズムの台頭を思い浮かべる人が多いのではないだろうか。そんな中、マクロンは極右政党の、ポピュリストとも称されるマリーヌ・ルペンとの一対一の選挙戦に勝利し、大統領に就任。民主主義を体現している人物のように見えた。

しかし、トッド氏のマクロン大統領への視線は最初から冷ややかなものだった。「フランスは何も変わらない」と言い、さらにマクロン大統領の当選はフランスの民主主義が行き詰まっていることを象徴しているとすら述べた。

そうして二〇一八年の暮れにフランスで起きたのが、「黄色いベスト運動」だ。これは日々ギリギリの生活を送る人々が政府の政策に怒りを噴出させたもので、瞬《また》く間にフランス全土へと広がっていった。また、二〇一九年一二月には政府が打ち出した年金制度改革案に反発して大規模なゼネストが始まった。このゼネストは、しばらく交通網や観光地の一部も麻痺するほどの規模でフランス社会を大きく巻き込み、大衆から政府への異議申し立てとなった。

トッド氏はこれらの一連の動きを上層部（集団エリート）による暴力が原因と捉えている。そして確かにフランス社会には今日《こんにち》、大きな亀裂《きれつ》が入っている。この大きな分断をマクロン大統領が一つにすることは、今のところまだできていない。

そしてゼネストがようやく収束を見せ始めていた矢先に起きたのが、新型コロナウイルスのパンデミック（世界的大流行）だ。フランスはロックダウン（都市封鎖）という厳しい決断を下し、ウイルスとの「戦い」を始めた。この前代未聞の事態の対応に右往左往《うおうさおう》し、手探りの中で措置を講ずるフランス政府に対して、トッド氏は相変わらず手厳しかった。「ポスト・コロナ」の社会に大きな変化を求める向きもある中で、今後も社会はそれまでと同じ傾向を辿り、物事がさらに深刻化するだけだろうと言う。ロックダウンという決断も、過去のエイズが流行した時代を振り返りつつ、今回は「若者」世代を犠牲にする形だったとして、政府に厳しい視線を投げかける。

つまるところ、二〇一七年からのトッド氏の見立ては、またも正しかったということなのだろう。マクロン大統領は残念ながら当初期待されていた「民主主義の体現者」などではなく、フランスはアメリカやイギリスなどの国々と同じく、エリートと大衆の分断に直面している。そしてそれには高等教育の発展が密接に関わっていることは、本書で詳《つまび》らかにした通りだ。

日本が抱える最大の課題とは

ただし、日本に関しては、トッド氏は多少楽観的に見える。日本でも学歴社会化が進み、階級の固定化や分断が進行していることは認めつつ、例えば、格差の程度は他の先進国ほどではないと言う。つまり楽観的に見えるのは彼が「比較」という方法に根ざしているからなのだ。これもまたトッド氏の重要な分析ツールの一つである。

また、トッド氏の分析が際立つのは、その理由を人類学的な家族構造に求める点でもあるだろう。フランスやイギリス・アメリカと異なり直系家族構造を有する日本には、もともと序列を容認する気質があり、エリートは大衆を蔑《さげす》むことがない。こうした国——ドイツや韓国も同様の家族構造を持つ——では、能力主義や民主主義もまた、異なる形で立ち現れる。

なお、高等教育の発展に加えて、グローバル化、つまり行き過ぎた自由貿易経済は社会の階級化をいっそう進め、ポピュリズムのうねりを呼んだのは本書で見てきた通りである。

自由貿易経済の弊害も、日本のような国では別の形で表出する。それはすなわち少子化であり、トッド氏は「フランス社会が良くなるためには脱ユーロが条件。それと同様に、日本社会の問題を解決したいのであれば、少子化を止めるべきだ」と言う。本書でも述べているように、社会が前進するためには（経済的な意味での）「生産」の前に「出産」が必要だという考え方が、人口学者としての彼の前提にあるからだ。

トッド氏は、現代社会では世代間のギャップが以前よりも大きくなっていることも指摘する。日本では長期にわたる少子化の進行によって、世代間のバランスが崩れているのも事実だ。日本が少子化を乗り越えるためには、この世代間のギャップや格差をいかに克服するかという問題にも向き合っていくべきではないだろうか。

トッドという「科学者」

トッド氏は自身のことを「マッドサイエンティスト」と呼ぶことがある。狂った科学者という意味で、どこか少し常識から外れていても気にせずに自分の研究に没頭しているような科学者のことを指す言葉だ。それは、人がある方向を向いている時に、それとは逆、あるいは考えてもいなかったことを真実だ、と言い切るそのトッド自身の態度によく表れている。

例えば、二〇一五年一月の「シャルリ・エブド」の襲撃事件を受けてフランス全土に広まった「私はシャルリ」運動に関して、『シャルリとは誰か?』を執筆・上梓。フランス国民の多くから熱狂的に支持された「私はシャルリ」運動が、実は排外主義的であるとして、フランス社会の支配層を痛烈に批判。大きな波紋を呼んだことはその一例だろう。

緻密《ちみつ》に分析をしたデータと経験主義的な視点から社会現象に対して「答え」を導き出すその姿勢は、自然科学の学者を彷彿とさせる。発見した事柄が自分の個人的な信条や思想に真っ向から対立するものだったとしても、それが「真実」であるならばそれを発表するべきであるという姿勢。それは時に世論を驚かせ、怒らせることもある。しかしそれがトッドという「科学者」のやり方なのだ。

また、歴史人口学者のトッド氏にとって「過去」の歴史を検討することはしばしば「未来」の世界を描き出すことと密接な関係にある。予言をする学者であるという意味を込めて「未来学者（Prospectiviste）」と自身を定義することもある。本書でも少しばかり触れている「女性」について、これからさらに考察を進めるそうだ。歴史的な観点から、そして現代の女性の社会的地位などからどのような社会の展望が望めるのか。これからのトッド氏の分析が楽しみである。

日本社会については、「完璧主義」を横に置いておいて、少しばかりの「無秩序」を受け入れるべきではないだろうか、と提言している。本書に収録されたトッド氏の思考の一部が、読者の皆さんが日本の社会について思考を進めていく一助になれば、と願う。

本書は、二〇一七年から二〇二〇年にかけてトッド氏に行なった複数回のインタビューを一冊にまとめたものである。また、同時期にフランスで公開されたトッド氏の記事もいくつか収録している。なお、注釈は訳者及び編集部で作成した。

最後になったが、本書のために非常に丁寧に、そして時にはジョークを交えながら、いつも真摯《しんし》に取材に向き合い協力してくれたトッド氏にまず深く感謝したい。彼へのインタビューは常に刺激的であり、取材後にその言葉を消化するために要する時間もまた、得がたいものだった。今後もその活躍から目が離せない。また、PHP新書編集部副編集長の大岩央さんにはひとかたならぬご尽力をいただいた。本企画は彼女の熱い思いがなければ始まらなかったものだ。また、プロジェクトを進めていく上で彼女の舵取りは見事なもので、感謝の一語に尽きる。日仏を熟知しているセザール・カステルビ氏には翻訳におけるネイティブチェックを支援いただき、的確なコメントをもらうことができた。お礼を申し上げたい。

大野　舞

二〇二〇年六月　パリにて

初出一覧

第１章：「混迷するエリート層」「教育の発展が道徳的枠組みを崩壊させた」…Thinkerview／「社会階級闘争から教育階級の闘争へ」…Libération

第２章：「女性が男性より高学歴になるという新しい現象」…Revue des Deux Mondes

第３章：「ブレグジットはポピュリズムではない」…Libération

第５章：「疲弊した大衆は保護主義を支持した」～「移民と民主主義の関係─民主主義には『外国人嫌い』の要素がある」…Le Figaro

第６章：「国内の分断と民主主義の崩壊が同時に起きている」…Libération／「ドイツが築き上げた『ドイツ帝国』という経済システム」後半箇所～「フランスの中産階級は無能になった」…BibliObs

第７章：「文化的ゲットーの出現」～「トランプ大統領は『文明の衝突』をよみがえらせるか」…Le Comptoir

他は全て月刊誌『Voice』（PHP研究所）インタビュー、本書のための語り下ろしインタビューによる。

初出詳細一覧（媒体名／掲載号・月日／原題／聞き手・訳の順）

・Voice／2017年9月号／マクロンと民主主義の危機／大野 舞（聞き手・訳）
・Voice／2019年9月号／マクロンは「十九世紀の大統領」だ／大岩央（聞き手）大野 舞（訳）
・Revue des Deux Mondes／2018年4月号／Emmanuel Todd : «Aujourd'hui, les femmes sont plus éduquées que les hommes»／Sébastien Lapaque
・Le Comptoir／2017年3月1日／Emmanuel Todd : «C'est un pays en cours de stabilisation morale qui vient d'élire Trump»／Kevin Boucaud-Victoire, Adlene Mohammedi
・Le Figaro／2018年3月16日／Emmanuel Todd : «Le protectionnisme oppose des populistes lucides à un establishment aveugle»／Alexandre Devecchio, Paul Sugy
・Libération／2017年9月6日／Emmanuel Todd : «La crétinisation des mieux éduqués est extraordinaire»／Sonya Faure, Cécile Daumas
・Thinkerview／2018年11月7日／Emmanuel Todd : «Trahison des élites françaises ?»
・BibliObs／2016年3月26日／Emmanuel Todd : «la France n'est plus dans l'histoire»／Aude Lancelin　※邦訳記事：『COURRiER JAPON』掲載「フランス最大の知性エマニュエル・トッド独占インタビュー『最も愚かなのは、私たちフランス人だ！』」2016年5月8日より

P. 24 図1-1：Où en sommes-nous ? Une esquisse de l'histoire humaine d'Emmanuel Todd

著者略歴

エマニュエル・トッド［Emmanuel Todd］

1951年フランス生まれ。歴史家、文化人類学者、人口学者。ソルボンヌ大学で学んだのち、ケンブリッジ大学で博士号を取得。各国の家族制度や識字率、出生率、死亡率などに基づき現代政治や社会を分析し、ソ連崩壊、米国の金融危機、アラブの春、トランプ大統領誕生、英国EU離脱などを予言。著書に『経済幻想』『帝国以後』(以上、藤原書店)、『シャルリとは誰か?』『「ドイツ帝国」が世界を破滅させる』(以上、文春新書)、『グローバリズム以後』(朝日新書)など多数。

訳者略歴

大野 舞［Ohno Mai］

フランスのバカロレア(高校卒業国家資格)を取得後、慶應義塾大学総合政策学部入学。パリ政治学院への留学を経て同学部を卒業。一橋大学大学院社会学研究科を修了。日本の大手IT企業に勤めたのち、渡仏。パリの出版社でライセンスコーディネーターや通訳の仕事に携わる。その後、日仏のスタートアップ関連の仕事を経て、独立。これまでエマニュエル・トッド氏など識者へのインタビューの他、「現代ビジネス」などへ寄稿。

PHP新書 1229

大分断
教育がもたらす新たな階級化社会

二〇二〇年七月二十八日 第一版第一刷

著者――エマニュエル・トッド
訳者――大野 舞
発行者――後藤淳一
発行所――株式会社PHP研究所
東京本部――〒135-8137 江東区豊洲5-6-52
第一制作部PHP新書課 ☎03-3520-9615（編集）
普及部 ☎03-3520-9630（販売）
京都本部――〒601-8411 京都市南区西九条北ノ内町11
組版――有限会社メディアネット
装幀者――芦澤泰偉＋児崎雅淑
印刷所
製本所――図書印刷株式会社

ISBN978-4-569-84684-2

PHP新書

PHP INTERFACE
https://www.php.co.jp/

PHP新書刊行にあたって

「繁栄を通じて平和と幸福を」(PEACE and HAPPINESS through PROSPERITY)の願いのもと、PHP研究所が創設されて今年で五十周年を迎えます。その歩みは、日本人が先の戦争を乗り越え、並々ならぬ努力を続けて、今日の繁栄を築き上げてきた軌跡に重なります。

しかし、平和で豊かな生活を手にした現在、多くの日本人は、自分が何のために生きているのか、どのように生きていきたいのかを、見失いつつあるように思われます。そして、その間にも、日本国内や世界のみならず地球規模での大きな変化が日々生起し、解決すべき問題となって私たちのもとに押し寄せてきます。

このような時代に人生の確かな価値を見出し、生きる喜びに満ちあふれた社会を実現するために、いま何が求められているのでしょうか。それは、先達が培ってきた知恵を紡ぎ直すこと、その上で自分たち一人一人がおかれた現実と進むべき未来について丹念に考えていくこと以外にはありません。

その営みは、単なる知識に終わらない深い思索へ、そしてよく生きるための哲学への旅でもあります。弊所が創設五十周年を迎えましたのを機に、PHP新書を創刊し、この新たな旅を読者と共に歩んでいきたいと思っています。多くの読者の共感と支援を心よりお願いいたします。

一九九六年十月

PHP研究所

PHP新書

［**思想・哲学**］
032 〈対話〉のない社会　中島義道
058 悲鳴をあげる身体　鷲田清一
086 脳死・クローン・遺伝子治療　加藤尚武
204 はじめての哲学史講義　鷲田小彌太
468 「人間嫌い」のルール　中島義道
492 自由をいかに守るか　ハイエクを読み直す　渡部昇一
856 現代語訳 西国立志編　サミュエル・スマイルズ［著］／中村正直［訳］／金谷俊一郎［現代語訳］
884 田辺元とハイデガー　合田正人
976 もてるための哲学　小川仁志
1095 日本人は死んだらどこへ行くのか　鎌田東二
1117 和辻哲郎と昭和の悲劇　小堀桂一郎
1159 靖國の精神史　小堀桂一郎
1215 世界史の針が巻き戻るとき　マルクス・ガブリエル

［**歴史**］
061 なぜ国家は衰亡するのか　中西輝政
286 歴史学ってなんだ？　小田中直樹
505 旧皇族が語る天皇の日本史　竹田恒泰
591 対論・異色昭和史　鶴見俊輔／上坂冬子
663 日本人として知っておきたい近代史［明治篇］　中西輝政
734 謎解き「張作霖爆殺事件」　加藤康男
738 アメリカが畏怖した日本　渡部昇一
748 詳説〈統帥綱領〉　柘植久慶
755 日本人はなぜ日本のことを知らないのか　竹田恒泰
761 真田三代　平山 優
776 はじめてのノモンハン事件　森山康平
784 日本古代史を科学する　中田 力
791 『古事記』と壬申の乱　関 裕二
848 院政とは何だったか　岡野友彦
865 徳川某重大事件　徳川宗英
903 アジアを救った近代日本史講義　渡辺利夫
922 木材・石炭・シェールガス　石井 彰
943 科学者が読み解く日本建国史　中田 力
968 古代史の謎は「海路」で解ける　長野正孝
1001 日中関係史　岡本隆司
1012 古代史の謎は「鉄」で解ける　長野正孝
1015 徳川がみた「真田丸の真相」　徳川宗英
1028 歴史の謎は透視技術「ミュオグラフィ」で解ける　田中宏幸／大城道則

1037 なぜ二宮尊徳に学ぶ人は成功するのか　松沢成文
1057 なぜ会津は希代の雄藩になったか　中村彰彦
1061 江戸はスゴイ　堀口茉純
1064 真田信之　父の知略に勝《まさ》った決断力　平山　優
1071 国際法で読み解く世界史の真実　倉山　満
1074 龍馬の「八策」　松浦光修
1075 誰が天照大神を女神に変えたのか　武光　誠
1077 三笠宮と東條英機暗殺計画　加藤康男
1085 新渡戸稲造はなぜ『武士道』を書いたのか　草原克豪
1086 日本にしかない「商いの心」の謎を解く　呉　善花
1096 名刀に挑む　松田次泰
1097 戦国武将の病《やまい》が歴史を動かした　若林利光
1104 一九四五　占守島の真実　相原秀起
1107 ついに「愛国心」のタブーから解き放たれる日本人　ケント・ギルバート
1108 コミンテルンの謀略と日本の敗戦　江崎道朗
1111 北条氏康　関東に王道楽土を築いた男　伊東　潤／板嶋常明
1115 古代の技術を知れば、『日本書紀』の謎が解ける　長野正孝
1116 国際法で読み解く戦後史の真実　倉山　満
1118 歴史の勉強法　山本博文
1121 明治維新で変わらなかった日本の核心　猪瀬直樹／磯田道史
1123 天皇は本当にただの象徴に堕ちたのか　竹田恒泰
1129 物流は世界史をどう変えたのか　玉木俊明
1130 なぜ日本だけが中国の呪縛から逃れられたのか　石　平
1138 吉原はスゴイ　堀口茉純
1141 福沢諭吉　しなやかな日本精神　小浜逸郎
1142 卑弥呼以前の倭国五〇〇年　大平　裕
1152 日本占領と「敗戦革命」の危機　江崎道朗
1160 明治天皇の世界史　倉山　満
1167 吉田松陰『孫子評註』を読む　森田吉彦
1168 特攻　知られざる内幕　戸髙一成［編］
1176 「縄文」の新常識を知れば 日本の謎が解ける　関　裕二
1177 「親日派」朝鮮人　消された歴史　拳骨拓史
1178 歌舞伎はスゴイ　堀口茉純
1181 日本の民主主義はなぜ世界一長く続いているのか　竹田恒泰
1185 戦略で読み解く日本合戦史　海上知明
1192 中国をつくった12人の悪党たち　石　平
1194 太平洋戦争の新常識　歴史街道編集部［編］
1197 朝鮮戦争と日本・台湾「侵略」工作　江崎道朗

1199 関ヶ原合戦は「作り話」だったのか 渡邊大門
1206 ウェストファリア体制 倉山 満
1207 本当の武士道とは何か 菅野覚明
1209 満洲事変 宮田昌明
1210 日本の心をつくった12人 石 平
1213 岩崎小彌太 武田晴人
1217 縄文文明と中国文明 関 裕二
1218 戦国時代を読み解く新視点 歴史街道編集部［編］

［経済・経営］

187 働くひとのためのキャリア・デザイン 金井壽宏
379 なぜトヨタは人を育てるのがうまいのか 若松義人
450 トヨタの上司は現場で何を伝えているのか 若松義人
543 ハイエク 知識社会の自由主義 池田信夫
587 微分・積分を知らずに経営を語るな 内山 力
594 新しい資本主義 原 丈人
620 自分らしいキャリアのつくり方 高橋俊介
752 日本企業にいま大切なこと 野中郁次郎／遠藤 功
852 ドラッカーとオーケストラの組織論 山岸淳子
882 成長戦略のまやかし 小幡 績
887 そして日本経済が世界の希望になる
ポール・クルーグマン［著］／山形浩生［監修・解説］／大野和基［訳］
892 知の最先端 クレイトン・クリステンセンほか［著］／
大野和基［インタビュー・編］
901 ホワイト企業 高橋俊介
908 インフレどころか世界はデフレで蘇る 中原圭介
932 なぜローカル経済から日本は甦るのか 冨山和彦
958 ケインズの逆襲、ハイエクの慧眼 松尾 匡
973 ネオアベノミクスの論点 若田部昌澄
980 三越伊勢丹 ブランド力の神髄 大西 洋
984 逆流するグローバリズム 竹森俊平
985 新しいグローバルビジネスの教科書 山田英二
998 超インフラ論 藤井 聡
1003 その場しのぎの会社が、なぜ変われたのか 内山 力
1023 大変化――経済学が教える二〇二〇年の日本と世界 竹中平蔵
1027 戦後経済史は嘘ばかり 高橋洋一
1029 ハーバードでいちばん人気の国・日本 佐藤智恵
1033 自由のジレンマを解く 松尾 匡
1034 日本経済の「質」はなぜ世界最高なのか 福島清彦
1039 中国経済はどこまで崩壊するのか 安達誠司
1080 クラッシャー上司 松崎一葉

1081 三越伊勢丹 モノづくりの哲学　大西 洋／内田裕子
1084 セブン-イレブン1号店 繁盛する商い　山本憲司
1088 「年金問題」は嘘ばかり　髙橋洋一
1105 「米中経済戦争」の内実を読み解く　津上俊哉
1114 クルマを捨ててこそ地方は甦る　藤井 聡
1120 人口知能は資本主義を終焉させるか　齊藤元章／井上智洋
1136 残念な職場　河合 薫
1162 なんで、その価格で売れちゃうの？　永井孝尚
1166 人生に奇跡を起こす営業のやり方　田口佳史／田村 潤
1172 お金の流れで読む 日本と世界の未来　ジム・ロジャーズ［著］／大野和基［訳］
1174 「消費増税」は嘘ばかり　髙橋洋一
1175 平成の教訓　竹中平蔵
1187 なぜデフレを放置してはいけないか　岩田規久男
1193 労働者の味方をやめた世界の左派政党　吉松 崇
1198 中国金融の実力と日本の戦略　柴田 聡
1203 売ってはいけない　永井孝尚
1204 ミルトン・フリードマンの日本経済論　柿埜真吾
1220 交渉力　橋下 徹

［政治・外交］

318・319 憲法で読むアメリカ史（上・下）　阿川尚之
426 日本人としてこれだけは知っておきたいこと　中西輝政
745 官僚の責任　古賀茂明
746 ほんとうは強い日本　田母神俊雄
807 ほんとうは危ない日本　田母神俊雄
826 迫りくる日中冷戦の時代　中西輝政
841 日本の「情報と外交」　孫崎 享
874 憲法問題　伊藤 真
881 官房長官を見れば政権の実力がわかる　菊池正史
891 利権の復活　古賀茂明
893 語られざる中国の結末　宮家邦彦
898 なぜ中国から離れると日本はうまくいくのか　石 平
920 テレビが伝えない憲法の話　木村草太
931 中国の大問題　丹羽宇一郎
954 哀しき半島国家 韓国の結末　宮家邦彦
964 中国外交の大失敗　中西輝政
965 アメリカはイスラム国に勝てない　宮田 律
967 新・台湾の主張　李 登輝
972 安倍政権は本当に強いのか　御厨 貴
979 なぜ中国は覇権の妄想をやめられないのか　石 平
982 戦後リベラルの終焉　池田信夫

986 こんなに脆い中国共産党　日暮高則
988 従属国家論　佐伯啓思
989 東アジアの軍事情勢はこれからどうなるのか　能勢伸之
993 中国は腹の底で日本をどう思っているのか　富坂 聰
999 国を守る責任　折木良一
1000 アメリカの戦争責任　竹田恒泰
1005 ほんとうは共産党が嫌いな中国人　宇田川敬介
1008 護憲派メディアの何が気持ち悪いのか　潮 匡人
1014 優しいサヨクの復活　島田雅彦
1019 愛国ってなんだ　民族・郷土・戦争　古谷経衡［著］／奥田愛基［対談者］
1024 ヨーロッパから民主主義が消える　川口マーン惠美
1031 中東複合危機から第三次世界大戦へ　山内昌之
1042 だれが沖縄を殺すのか　ロバート・D・エルドリッヂ
1043 なぜ韓国外交は日本に敗れたのか　武貞秀士
1045 世界に負けない日本　藪中三十二
1058 「強すぎる自民党」の病理　池田信夫
1060 イギリス解体、EU崩落、ロシア台頭　岡部 伸
1066 習近平はいったい何を考えているのか　丹羽宇一郎
1076 日本人として知っておきたい「世界激変」の行方　中西輝政
1082 日本の政治報道はなぜ「嘘八百」なのか　潮 匡人
1083 なぜローマ法王は世界を動かせるのか　徳安 茂
1089 イスラム唯一の希望の国 日本　宮田 律
1090 返還交渉 沖縄・北方領土の「光と影」　東郷和彦
1122 強硬外交を反省する中国　宮本雄二
1124 チベット 自由への闘い　櫻井よしこ
1135 リベラルの毒に侵された日米の憂鬱　ケント・ギルバート
1137 「官僚とマスコミ」は嘘ばかり　髙橋洋一
1153 日本転覆テロの怖すぎる手口　兵頭二十八
1155 中国人民解放軍　茅原郁生
1157 二〇二五年、日中企業格差　近藤大介
1163 AI監視社会・中国の恐怖　宮崎正弘
1169 韓国壊乱　櫻井よしこ／洪 熒
1180 プーチン幻想　グレンコ・アンドリー
1188 シミュレーション日本降伏　北村 淳
1189 ウイグル人に何が起きているのか　福島香織
1196 イギリスの失敗　岡部 伸
1208 アメリカ 情報・文化支配の終焉　石澤靖治
1212 メディアが絶対に知らない2020年の米国と日本　渡瀬裕哉

［**地理・文化**］

264 「国民の祝日」の由来がわかる小事典　所 功
465・466 ［決定版］京都の寺社505を歩く（上・下）　山折哲雄／槇野 修

592 日本の曖昧《あいまい》力　呉 善花
639 世界カワイイ革命　櫻井孝昌
650 奈良の寺社150を歩く　山折哲雄／槇野 修
670 発酵食品の魔法の力　小泉武夫／石毛直道［編著］
705 日本はなぜ世界でいちばん人気があるのか　竹田恒泰
757 江戸東京の寺社609を歩く 下町・東郊編　山折哲雄／槇野 修
758 江戸東京の寺社609を歩く 山の手・西郊編　山折哲雄／槇野 修
845 鎌倉の寺社122を歩く　山折哲雄／槇野 修
877 日本が好きすぎる中国人女子　櫻井孝昌
889 京都早起き案内　麻生圭子
890 反日・愛国の由来　呉 善花
934 世界遺産にされて富士山は泣いている　野口 健
936 山折哲雄の新・四国遍路　山折哲雄
948 新・世界三大料理　神山典士［著］／中村勝宏、山本豊、辻芳樹［監修］
971 中国人はつらいよ――その悲惨と悦楽　大木 康
1119 川と掘割"20の跡"を辿る江戸東京歴史散歩　岡本哲志
1182 京都の通りを歩いて愉しむ　柏井 壽
1184 現代の職人　早坂 隆

［**社会・教育**］

117 社会的ジレンマ　山岸俊男
335 NPOという生き方　島田 恒
418 女性の品格　坂東眞理子
495 親の品格　坂東眞理子
504 生活保護vsワーキングプア　大山典宏
522 プロ法律家のクレーマー対応術　横山雅文
537 ネットいじめ　荻上チキ
546 本質を見抜く力――環境・食料・エネルギー　養老孟司／竹村公太郎
586 理系バカと文系バカ　竹内 薫［著］／嵯峨野功一［構成］
602 「勉強しろ」と言わずに子供を勉強させる法　小林公夫
618 世界一幸福な国デンマークの暮らし方　千葉忠夫
621 コミュニケーション力を引き出す　平田オリザ／蓮行
629 テレビは見てはいけない　苫米地英人
632 あの演説はなぜ人を動かしたのか　川上徹也
681 スウェーデンはなぜ強いのか　北岡孝義
692 女性の幸福［仕事編］　坂東眞理子
706 日本はスウェーデンになるべきか　高岡 望
720 格差と貧困のないデンマーク　千葉忠夫
741 本物の医師になれる人、なれない人　小林公夫
780 幸せな小国オランダの智慧　紺野 登

783 原発「危険神話」の崩壊 池田信夫
786 新聞・テレビはなぜ平気で「ウソ」をつくのか 上杉 隆
789 「勉強しろ」と言わずに子供を勉強させる言葉 小林公夫
792 「日本」を捨てよ 苫米地英人
819 日本のリアル 養老孟司
823 となりの闇社会 一橋文哉
828 ハッカーの手口 岡嶋裕史
829 頼れない国でどう生きようか 加藤嘉一／古市憲寿
832 スポーツの世界は学歴社会 橘木俊詔／齋藤隆志
847 子どもの問題　いかに解決するか 岡田尊司／魚住絹代
854 女子校力 杉浦由美子
857 大津中2いじめ自殺 共同通信大阪社会部
858 中学受験に失敗しない 高濱正伸
869 若者の取扱説明書 齋藤 孝
870 しなやかな仕事術 林 文子
872 この国はなぜ被害者を守らないのか 川田龍平
875 コンクリート崩壊 溝渕利明
879 原発の正しい「やめさせ方」 石川和男
888 日本人はいつ日本が好きになったのか 竹田恒泰
896 著作権法がソーシャルメディアを殺す 城所岩生
897 生活保護vs子どもの貧困 大山典宏
909 じつは「おもてなし」がなっていない日本のホテル 桐山秀樹
915 覚えるだけの勉強をやめれば劇的に頭がよくなる 小川仁志
919 ウェブとはすなわち現実世界の未来図である 小林弘人
923 世界「比較貧困学」入門 石井光太
935 絶望のテレビ報道 安倍宏行
941 ゆとり世代の愛国心 税所篤快
950 僕たちは就職しなくてもいいのかもしれない 岡田斗司夫 FRREex
962 英語もできないノースキルの文系は
これからどうすべきか 大石哲之
963 エボラvs人類 終わりなき戦い 岡田晴恵
969 進化する中国系犯罪集団 一橋文哉
974 ナショナリズムをとことん考えてみたら 春香クリスティーン
978 東京劣化 松谷明彦
981 世界に嗤われる日本の原発戦略 高嶋哲夫
987 量子コンピューターが本当にすごい 竹内 薫／丸山篤史［構成］
994 文系の壁 養老孟司
997 無電柱革命 小池百合子／松原隆一郎
1006 科学研究とデータのからくり 谷岡一郎
1022 社会を変えたい人のためのソーシャルビジネス入門 駒崎弘樹

1025 人類と地球の大問題 丹羽宇一郎
1032 なぜ疑似科学が社会を動かすのか 石川幹人
1040 世界のエリートなら誰でも知っているお洒落の本質 干場義雅
1044 現代建築のトリセツ 松葉一清
1046 ママっ子男子とバブルママ 原田曜平
1059 広島大学は世界トップ100に入れるのか 山下柚実
1065 ネコがこんなにかわいくなった理由 黒瀬奈緒子
1069 この三つの言葉で、勉強好きな子どもが育つ 齋藤 孝
1070 日本語の建築 伊東豊雄
1072 縮充する日本 「参加」が創り出す人口減少社会の希望
山崎 亮
1073 「やさしさ」過剰社会 榎本博明
1079 超ソロ社会 荒川和久
1087 羽田空港のひみつ 秋本俊二
1093 震災が起きた後で死なないために 野口 健
1098 日本の建築家はなぜ世界で愛されるのか 五十嵐太郎
1106 御社の働き方改革、ここが間違ってます！ 白河桃子
1125 『週刊文春』と『週刊新潮』闘うメディアの全内幕
花田紀凱／門田隆将
1128 男性という孤独な存在 橘木俊詔
1140 「情の力」で勝つ日本 日下公人
1144 未来を読む ジャレド・ダイアモンドほか［著］
大野和基［インタビュー・編］
1146 「都市の正義」が地方を壊す 山下祐介
1149 世界の路地裏を歩いて見つけた「憧れのニッポン」
早坂 隆
1150 いじめを生む教室 荻上チキ
1151 オウム真理教事件とは何だったのか？ 一橋文哉
1154 孤独の達人 諸富祥彦
1161 貧困を救えない国 日本 阿部彩／鈴木大介
1164 ユーチューバーが消滅する未来 岡田斗司夫
1183 本当に頭のいい子を育てる 世界標準の勉強法 茂木健一郎
1190 なぜ共働きも専業もしんどいのか 中野円佳
1201 未完の資本主義
ポール・クルーグマンほか［著］／大野和基［インタビュー・編］
1202 トイレは世界を救う
ジャック・シム［著］／近藤奈香［訳］
1219 本屋を守れ 藤原正彦